JN089797

フェミニズムはみんなのもの

情熱の政治学

ベル・フックス

堀田碧 訳

Feminism is for EVERYBODY
Passionate Politics

bell hooks

translated by Midori Hotta

etc. books

フェミニズムはみんなのもの　情熱の政治学　目次

はじめに　フェミニズムを知ってほしい　6
1　フェミニズム　わたしたちはどこにいるのか　13
2　コンシャスネス・レイジング　たえまない意識の変革を　23
3　女の絆は今でも強い　32
4　批判的な意識のためのフェミニズム教育　40
5　わたしたちのからだ、わたしたち自身　リプロダクティブ・ライツ　49
6　内面の美、外見の美　57
7　フェミニズムの階級闘争　65
8　グローバル・フェミニズム　76
9　働く女性たち　83

10 人種とジェンダー 92
11 暴力をなくす 100
12 フェミニズムの考える男らしさ 108
13 フェミニズムの育児 116
14 結婚とパートナー関係の解放 125
15 フェミニズムの性の政治学　互いの自由を尊重する 134
16 完全なる至福　レズビアンとフェミニズム 146
17 愛ふたたび　フェミニズムの心 156
18 フェミニズムとスピリチュアリティ 163
19 未来を開くフェミニズム 170
新版訳者あとがき 183

フェミニズムはみんなのもの

情熱の政治学

はじめに　フェミニズムを知ってほしい

どこかへ講演に行って、わたしがだれでどんなことをしているのかたずねられるといつも、「わたしは作家で、フェミニズムの理論家で、文化批評家です」と胸をはって答える。メディアのメッセージを分析して、映画やポピュラーカルチャーについて文章を書いています、と。たいていの人はおもしろがって、もっと知りたがる。だれでも映画やテレビを観たり、雑誌を読んだりしているし、そこにあるメッセージやイメージについて自分なりの考えをもっている。聴衆にはさまざまな人がいるが、文化批評の仕事がどんなものかや、書くことへの情熱はわかると言う（たくさんの人が書きたいと思っているし、実際に書いている）。でも、フェミニズム理論となると――だれも話を聞きたいと言わなくなるのだ。代わりによく聞かされるのは、フェミニズムの害とか悪いフェミニストのこと。いわく、「あいつら」は男嫌いだ、「あいつら」は自然のなりわいに――そして神に――反対しているのだ、「あいつら」は皆レズビアンだ、「あいつら」は仕事を一人じめして、チャンスに恵まれない白人の男を苦しめているんだ、といった具合に。
　そういうことを言う人たちに、「じゃあどんなフェミニズムの本や雑誌を読みましたか？」「どんなフェミニストの話を聞きましたか？」とか「フェミニズムの活動をしている人を知っていますか？」とたずねると、皆の答えから浮かびあがってくるのは、フェミニズムが生活に入ってきたのはすべて間接的にであって、フェミニズムとは本当はどんなもので、何をしているのかを、間近に見たり聞いたりする機会はなかったということなのだ。ほとんどの人が、フェミニズムとは、男のようになりたいと思っている怒れる女の集団だと思っている。フェミニズムは人権に関わることで、女性たちは平等の権利を求めているのだ、ということすら知らない人が多い。わたしの知っているフェミニズムはこういうものですよ、と話すと――身近で個人的なことに引き寄せて――皆うなずいて聞くのだが、それでも話しおわるとすぐ口々に言うのだ。あなたは違う、あなたは「本物の」、男嫌いでいつも怒ってばかりいるフェミニストみたいじゃない、と。そこでわたしは、わたしこそ本当の、しかも最高にラディカルなフェミニストだと言い、もし皆さんがもっとよくフェミニズムを知ったら、それが思っているようなものではないとわかると、答えるのである。

　こんな会話を交《か》わして別れるたび、いつも手元に小さな本があればいいなと思う。この本を読んでみて下さい、そうすればフェミニズムとは何で、それはどんな運動かがわかるから、と言えるような本が。欲しいのは、コンパクトで読みやすく、わかりやすい本だ。

長たらしいものでも、学者にしかわからないような専門用語で書かれた難しい分厚い本でもなく、ズバリと核心に迫り明快で――読みやすいけれど、けっして短絡的というのではないような本。フェミニズムの思想と政治と実践がわたしの人生を変えた瞬間から、わたしはそういう本を求めてきた。わたしがこれほど深く信じ、わたしの政治的生き方のもとになっているフェミニズムの理想やフェミニズムの政治をみんながもっとよく理解できるような本を、愛する人々にあげたいと思ってきたのだ。

　わたしが望んできたのは、「フェミニズムって何なの？」という質問にたいして、恐れや夢物語に根ざしたものではない答えを、みんなが手にできることだ。「フェミニズムとは、性にもとづく差別や搾取や抑圧をなくす運動のことだ」という、簡単しごくで何度でも読み返せる定義を、みんなが手にできることなのだ。この定義が、わたしは気に入っている。これを最初に書いたのは十年あまり前、『フェミニズム理論――周縁から中心へ』[*1]のなかでだった。この定義が気に入っているのは、これが、フェミニズム運動は男性に反対する運動ではないということを、はっきり示しているからだ。この定義が明確に示しているのは、問題は性差別だということである。そしてそのことが思い出させるのは、わたしたちはみな、女であれ男であれ、生まれてからずっと性差別的な考えや行動を受け入れるよう社会化されている、ということだ。その結果として、女性も、男性と同じように性差別的でありうる。そして、そのことで男性支配が見逃されたり正当化されたりするわけではないが、同時に、フェミニズム運動は単に女性が男性に反対するものだと見なすフェミニストがいるなら、それはまたあまりにも単純素朴でまちがった考えである。家父長制[*2]（制度化された性差別の別の呼び方）をなくすためにはっきりさせなくてはならないことは、わたしたちはみな、頭や心を変えないかぎり、そして、性差別的な考えや行動をやめてフェミニズム的な考えや行動をとらないかぎり、連綿と続く性差別に加わっているということである。

集団としての男性は、男性は女性よりも優れているから女性を支配すべきだという思い込みのもとに、家父長制からもっとも利益を得てきたし、いまなお得ている存在である。だが、その利益は代償をともなっている。男性は、家父長制から得るすべての利益と引き換えに、家父長制を機能させつづけるために、必要とあらば暴力をふるってでも、女性を支配したり、搾取し抑圧することを求められている。ほとんどの男性は、家父長主義的にふるまうことはできないと感じている。ほとんどの男性は、男性が女性にふるう暴力のせいで女性たちが感じている憎しみや恐れに、動揺を感じている。それは、みずから暴力をふるう男性でさえそうなのだ。だが、男性たちは、利益を失うことを恐れている。男性たちは、もしも家父長制が変わってしまったら、慣れ親しんだこの世界にいったいなにが起こるのか、不安を感じている。だから、頭と心では悪いとわかっていても、このまま男性支配を支えるほうがたやすいと思っているのだ。男性たちがくり返しわたしに言ったのは、フェミニズムがいったいなにを求めているのかさっぱりわからない、ということだった。その言葉に嘘はないと思う。わたしは、男性たちが変わり、成長する可能性を信じている。

そして、もしフェミニズムについてもっとよく知れば、男性たちはフェミニズムを恐れなくなると思う。なぜなら、男性たちがフェミニズム運動に見いだすのは、自分自身が家父長制の束縛から解き放たれる希望なのだから。

わたしが、二十年以上も望んでいたこの小さなハンドブックを書いたのは、老いも若きも含めたこうした男性たちのためであり、わたしたちみんなのためである。自分で書くことになったのは、ずっと待ち望んでいたけれどどこからも現れなかったからだ。そして、こうした本なしには、毎日のようにアンチ・フェミニズムの大攻勢にさらされ、ただ運動を憎めとか反対しろとか言われていながら、それについてまったくといっていいほど知らない大勢の人々に、思いを届ける方法はないからだ。フェミニズムについて教えてくれる、もっとたくさんの手軽なフェミニズムの入門書や、簡単に読めるパンフレットや本などがあるべきなのだ。そうすれば、この本もまたフェミニズムについて熱っぽく語る声のひとつ、ということになるだろう。フェミニズムのメッセージを伝え、フェミニズムについて世間にもっと知らせるような、看板や雑誌の広告やバスや地下鉄や電車の内吊り広告やテレビコマーシャルなんかがあるべきなのだ。わたしたちはまだ、そんなところには来ていない。でも、そんなふうにフェミニズムを拡め、みんなの頭と心にフェミニズムの考えが浸透してゆくべきだと思う。フェミニズム的な変化は、すでに、わたしたちみんなの生活によい影響を与えているというのに、フェミニズムについて耳にするのは悪いことばかりだとしたら、そうしたよい面が見失われてしまう。

わたしが、男性支配に反対し、家父長主義的な考え方に反抗しはじめたとき（そして、わたしが生まれて初めて反対した最強の家父長主義的な主張の主は、母だった）、わたしはまだ十代で、落ち込んで、死にたいとさえ思っていた。どうやって人生の意味を見つけ、自分の居場所を見つけたらいいのか、まったくわからなかった。わたしには、生きる糧である平等と正義という土台をくれるフェミニズムが必要だった。母はやがて、フェミニズムの賛同者になった。母は、フェミニズムのおかげで、わたしを含む娘たち全員（うちは六人姉妹）がよりよい人生を送れることを悟ったのだった。母はフェミニズムに将来の約束と希望とを見いだした。そうした約束と希望こそ、わたしがこの本であなたと、そしてみんなと分かち合いたいものなのだ。

思い描くのは、支配というものがない世界に生きること。女と男は同じではないし、いつでもどこでも平等というわけではなくても、交わりの基本は互いに相手を思いやることだという精神がすみずみにまで行き渡った世界に生きることだ。フェミニズム革命だけでそうした世の中ができるわけではない。人種差別や階級的エリート主義や帝国主義も、なくさなくてはならないだろう。それでも、愛にみちた共同体を創り、ともに暮らすことのできるような、真に目覚めた女や男になることは可能である。自由と正義の夢を実現し、わたしたちはみな「生まれながらに平等である」という真理に生きることは、可能なのだ。さあ、近くへ来なさい。そうして、フェミニズムがどんなに、あなたの人生やわたしたちみんなの人生に影響を与え、変えることができるかを、ごらんなさい。近くに来て、まずフェミニズムとはなんなのかを知りなさい。さあ、もっと近くへ。そうすれば、あなたにはわかるはずだ、フェミニズムはみんなのものだと。

訳注

＊1 *Feminist Theory: From Margin to Center*, bell hooks, 1984.（邦題『ベル・フックスの「フェミニズム理論」——周辺から中心へ』野崎佐和・毛塚翠訳、あけび書房、二〇一七年）

＊2 「男性支配の権力システム」をひと言で表現する言葉として、家父長制／家父長主義（Patriarchy）はフェミニズムのなかで広く使われている。ただし、その理論的な内容や用法などは論者によってさまざまであり、今も議論が続いている。

1　フェミニズム　わたしたちはどこにいるのか

フェミニズムとは、ひと言で言うなら、「性差別をなくし、性差別的な搾取や抑圧をなくす運動」のことだ。これは、わたしが十年あまり前に『フェミニズム理論――周縁から中心へ』のなかで述べたフェミニズムの定義である。その時、わたしは、これがみんなの共通のフェミニズムの定義になるといいと思った。この定義が気に入っているのは、男性を敵だと言っていないことだ。問題は性差別だと、ズバリ核心をついている。より具体的に言うなら、この定義は、ありとあらゆる性差別的な意識や行動を問題にしている。そういう意識をもったり行動をしたりするのが、女であろうと男であろうと、あるいはまた子どもであろうと大人であろうと、関係ない。また、この定義は広いものなので、社会制度のなかに構造化された性差別をも問題にできる。さらに、どこまでも開かれた定義でもある。この定義のいうフェミニズムについてわかるためには、性差別とはどんなものなのかを知らなくてはならない。

フェミニズムに賛同する人ならわかっているだろうが、ほとんどの人は性差別とはどんなものなのかを知らない。知っているという場合には、性差別は当然のことで別に問題ではないと思っている。大多数の人が考えるフェミニズムとは、いつでもどこでもただひたすら男女を平等にしろという運動、といったところだろう。しかも、こうした人たちの圧倒的多数が、フェミニズムとは男性に反対するものと思っているのだ。フェミニズムへのこうした誤解は、ほとんどの人がフェミニズムについて何かを知るのは家父長主義的なマスメディアを通してだ、という事実を反映している。人々がふつう、メディアでいちばんよく見聞きするフェミニズムとは、ジェンダーに関する平等を最優先に考えて行動している――たとえば、同一労働に同一賃金を、とか、女性と男性で家事や育児を分担しよう、とかいった――女性たちの姿だろう。こうした女性たちを見れば、だいたいが白人で裕福な層だ。マスメディアから人々が知るのは、女性解放運動とは中絶の自由やレズビアンの権利を要求したり、強かんやＤＶ[*1]に反対するものだ、ということだ。こうした問題のなかで、たぶん圧倒的多数の人が賛成するのは、職場での男女平等の要求や同一労働には同一賃金をという主張だろう。

　わたしたちの住むアメリカ社会は基本的には「キリスト教」文化の下にあるので、大多数の人たちは今なお、女は家にいて男に従うものと神が定めたのだ、と信じている。圧倒的な数の女性が職場で働き、女性が一家の唯一の稼ぎ手である家庭も多いというのに、アメリカ人がイメージする理想の家庭像には今でも、男性支配の論理が手つかずに生きている。たとえその家庭に男性がまったくいない場合でもそうなのだ。フェミニズムとは反男性運動だという、フェミニズム運動についてのまちがった理解があるために、今度は逆に、家庭に男性がいなければ家父長主義も性差別も存在しえないという、まちがった思い込みがもたらされる。こういうふうに思っている女性はたくさんいる。フェミニズム運動に関わっている女性でさえ、こう思っていることがある。

たしかに、怒りをこめて男性支配に抗議した初期のフェミニズム運動には、「男は敵」といった雰囲気が多分にあった。女性解放運動を生み出すきっかけになったものは、男女の不平等や男性による女性差別への怒りだった。初期のフェミニズムの活動家（その多くは白人の女性だった）のほとんどは、階級闘争や反人種差別運動に参加した時、そうした運動のなかの男性たちが、得々《とくとく》として自由の大切さを語りながら、運動のなかで女性を差別するのを見て、男性支配とはいかなるものかという意識を高めていった。社会主義運動に参加した白人女性にとっても、公民権運動*2や黒人解放運動に参加した黒人女性にとっても、先住民の権利のために闘ったネイティブ・アメリカンの女性にとっても、事態は同じだった。はっきりしていたのは、リーダーは男性で、女性にはただ従うことだけが求められている、ということだった。自由を求めるラディカルな運動に参加した進歩的な女性たちは、そこで抵抗と反逆の精神に目覚め、今日にいたる女性解放運動が始まった。

フェミニズム運動が進むにつれ、女性たちが悟るようになったのは、性差別的な意識や行動を支えている集団は男性だけではない――女性もまた性差別的でありうる――ということだった。そうなると、男性への敵視感情はもはやフェミニズム運動を支える意識ではなくなった。運動の焦点は、ジェンダーにおける公正さを求めることに移ったのである。だが女性たちは、女性のなかにある性差別意識と向き合うことなしには、フェミニズムのさらなる発展に向かって団結することはできなかった。女性たちが互いに競争し足を引っ張り合うかぎり、女たちの連帯の絆であるシスターフッド[3]は強い力を持てない。女性は、多かれ少なかれ男性支配の犠牲者であるという事実を自覚しさえすれば連帯できる、というようなシスターフッドの考え方は、砂上の楼閣として、階級や人種をめぐる討論によって打ち砕かれた。実は、階級的な違いについての議論は、フェミニズム運動の初期に、人種についての議論に先立って起こっている。一九七〇年代の半ば、ダイアナ・プレスは『階級とフェミニズム』[4]という論文集を出版して女性間の階級格差についてラディカルな視点を提起した。この本は、「女の絆は強い《シスターフッド・イズ・パワフル》」というフェミニズムの主張に難癖《なんくせ》をつけているのではなく、女性は、他の女性を支配し搾取しているあり方——セクシュアリティや階級や人種をとおして——と対決する闘いによってのみ「シスター」になりうる、ことを強調し、女性間の違いを乗り越える政治的な思想をつくりあげようとしているのである。

　黒人の女性たちは、フェミニズム運動の最初から参加してはいたが、フェミニズムの「スター」になったり、マスメディアの注目を集めるようなことはなかった。フェミニズム運動に参加していた黒人女性には、革命的な思想の持ち主が多かった（白人のレズビアン・フェミニストがそうだったように）。そういう革命主義のフェミニストたちは、最初から、現存する制度の枠内での男性との平等だけを運動の目的にしようとした改良主義のフェミニストとは意見を異にしていた。人種の問題がフェミニストのあいだで議論になる以前から、黒人女性（や共に闘う革命主義のフェミニストたち）にとってはっきりしていたことは、現在の白人中心で資本主義的な家父長制社会の枠内での平等などありえない、ということだった。

フェミニズム運動は初めから、いくつもの違った考えに分かれていた。[*5] 改良主義のフェミニストは、男女の平等を強調した。革命主義のフェミニストは、女性がもっと権利を手にできるように現在のシステムを手直しするだけで満足するつもりはなかった。わたしたち革命主義のフェミニストが望んだことは、システムそのものを変えることであり、家父長制と性差別主義をなくすことだった。家父長主義的なマスメディアはこうした革命的なヴィジョンには関心がなかったから、こうしたフェミニズムが主流メディアの注目を浴びることはなかった。一般の人々が思い描く「ウーマンリブ」の考えとは、「男性と同じものを欲しがる女性」に代表されるようなものだろう。そして、こういう考えは、比較的たやすく現実化するものでもあった。不況や失業等々といったアメリカ経済の変化によって、職場では男性も女性も平等に働くべきだという考えを、アメリカ国民が受け入れる機が熟したからである。

人種差別という現実があり、女性の働く権利を認めることが白人中心の社会を維持するために有益であるとき、白人男性が女性の権利を認めることにより熱心になるのは、よく考えればわかることだ。わたしたち黒人女性は、白人女性が自らの自由を主張しはじめたのが公民権運動のあとだったこと、人種差別が終わり、黒人、とりわけ黒人男性が職場で白人男性と平等な権利を獲得しようとしていたまさにその時であったことを、忘れるわけにはいかない。フェミニズム運動は始まった当初には、アメリカ社会が真に性差別的でなくなるために、改良的な方法だけでなく社会システム全体の構造改革をもめざしていたのに、職場での男女平等を最優先する改良主義のフェミニストは、そうした当初のラディカルな理想を押しのけてしまった。

ほとんどの女性たち、とりわけ経済的に恵まれた白人の女性たちは、現在の社会構造のなかで経済力を手にするやいなや、革命的なフェミニズムのヴィジョンについて考えることすらやめてしまった。皮肉なことに、革命的なフェミニズムのヴィジョンがもっとも受け入れられ、取り上げられたのは、大学などアカデミックな世界でだった。学問の世界では、革命的なフェミニズムの理論が生み出されたが、そうした理論が一般大衆に届くことはほとんどなかった。それは、わたしたちのなかでも、インテリで高等教育を受け、そして多くは物質的にも恵まれた人間だけに届く特権的な言論でしかなかったのだ。わたしが書いた『フェミニズム理論――周縁から中心へ』のような本は、フェミニズムによる社会変革を訴えた進歩的なヴィジョンではあっても、世間の注目を浴びることはけっしてない。それは、人々がそこに書かれたメッセージを拒絶したからというのではなくて、そもそもそのメッセージがどんなものか、知らないからなのだ。

社会の中心を占めている白人至上主義的で資本主義的な家父長制*6は、その利害からして、進歩的で洞察力にあふれたフェミニズム――男性を敵視せず、女性が男性のようになる権利の獲得に夢中になるのでもないフェミニズム――の思想をおさえつけたが、他方、改良主義のフェミニストたちも、こうした進歩的な勢力を黙らせることに熱心だった。改良主義のフェミニストたちは、階級的上昇志向を支持した。特権を持った女性たちは、職場での男性支配を打ち破り、自分自身のライフスタイルを自己決定するいっそうの権利を手に入れた。性差別はなくならなかったが、特権を持った女性たちは現在のシステム内で最大の自由を手にした。そして、搾取され抑圧された貧しい女性たちに、自分はやりたくない汚い仕事を押しつけることができた。労働者階級の女性や貧しい女性たちの抑圧をよしとし、実際にはそれに手を貸すことで、特権を持った女性たちは、現在の家父長制やそれに伴う性差別と同盟を結んだ。のみならず、職場でも家庭でも、望むときにだけ男性と平等であるようなご都合主義的な生活を送る権利を手に入れたのだ。もしも特権を持った女性がレズビアンなら、職場では男性と平等で、一方、家庭では男性とほとんど、あるいはまったく接触することなく生活できるような階級的な力を行使しているといえるだろう。

いわゆる「ライフスタイル・フェミニズム」[*7]は、政治ではなくライフスタイルに焦点を移すことで、女性にもいろいろあるようにフェミニズムの理念もいろいろであってよい、という考えを拡めた。あれよあれよという間に、フェミニズムからは政治がなくなった。そして、その女性の政治的信条がどうあれ、保守的であろうと進歩的であろうと、自分のライフスタイルにフェミニズムを合わせることができる、という考え方が幅をきかせだした。こうした考え方は、明らかに、フェミニズムをより受け入れやすいものにした。というのも、その根底にある思想とは、自分や文化を根本から問いなおしたり変革したりすることなしに、だれでもフェミニストになれる、というものだからである。たとえば、中絶の問題を例にとってみよう。もしフェミニズムが性による差別や抑圧をなくす運動だとしたら、そして、女性から性と生殖をめぐる権利や自由を奪うことは性差別的な抑圧の一形態だとしたら、女性が中絶するかどうかを選ぶ権利に反対する「反チョイス派」[*8]でありながらフェミニストであることはできない。女性が中絶を選ぶ権利を支持はするが自分自身は中絶を選ばないと主張しながら、フェミニズムの支持者であることはできる。だが、「反チョイス派」であると同時にフェミニズムの支持者であることはできない。加えて、「パワー・フェミニズム」[*9]などというものもありえない。そこで言うパワーが、他人を搾取したり抑圧したりすることによって得られる権力のことであるなら、そうしたパワーとフェミニズムとは両立しないからだ。

フェミニズムが今、力を失っているのは、フェミニズム運動が明確な定義を持っていないからだ。わたしたちには、明確な定義がある。大きな声で、この定義を言おう。この定義をみんなのものにしよう。そして、運動を作り直そう。Tシャツや車のステッカーや絵はがきを作ろう。ラップ・ミュージックやテレビやラジオのコマーシャルや広告や看板を作ろう。ありとあらゆる印刷物を使ってフェミニズムの世界を語ろう。「フェミニズムとは性差別をなくし、性差別的な抑圧をなくす運動」だという、シンプルだけれど力強いメッセージが、わたしたちにはある。ここから始めよう。ここから、再び運動を作ろう。

訳注

＊1　夫婦や内縁関係、恋人など「親密な」関係のなかでふるわれる暴力。その圧倒的多数は男性から女性への暴力である。英語を直訳すると「家庭内暴力」だが、日本では「家庭内暴力」とは子どもが家庭内で親にふるう暴力を指す言葉として使われてきたため、それとは区別する意味で「ドメスティック・バイオレンス」と呼んでいる。

＊2　アメリカ合州国の黒人たちは奴隷制反対に始まる黒人解放運動を展開してきたが、一九五〇年代から人種差別に反対する運動が高まり、とりわけ一九六〇年代には、マーティン・ルーサー・キング牧師を指導者として、市民としての平等な権利を要求する公民権運動となって燃え広がった。公民権法は一九六四年に成立したが、公民権運動は黒人だけでなく、女性を含むさまざまなマイノリティ集団にも大きな影響を与えた。

＊3　シスターフッド（Sisterhood）とは、姉妹愛、姉妹関係、女性同士の連帯や女性の共同体の意味。女性たちの絆は歴史上つねに存在したが、フェミニズムはこれを「シスターフッド」と名づけ、"Sisterhood is powerful"は女性運動の団結のスローガンとなった。

＊4　*Class and Feminism*, Charlotte Bunch and Nancy Myron (eds), 1974.

＊5　アメリカのフェミニズムには当初から、一般に「リベラル」「ラディカル」「マルクス主義／社会主義」と呼ばれる異なった潮流が存在した。といっても、それぞれがはっきりとした違いをもった首尾一貫した思想や組織というよりも、さまざまに変化しながら時として重なり合って存在する個人や集団の動きの呼称だが、概して「リベラル・フェミニズム」は「平等」の観点から現制度の枠内での改良をめざし、「ラディカル・フェミニズム」は「女性＝階級」という認識から「性暴力」「セクシュアリティ」などの問題をとりあげ、また「マルクス主義／社会主義フェミニズム」は現

体制の変革をめざして「労働」の問題に注目した、といった特徴があった。ただし、そうしたフェミニズムの分類には、白人中心主義の影響があったことも否めない。ベル・フックスはここではこうした呼称を使わずに、「改良主義」と「革命主義」のフェミニズムを区別し、また「ラディカル」という語もいわゆる「ラディカル・フェミニズム」の意味では使っていない。

＊6　現在の社会をどう定義するかについては、フェミニズムのなかでもさまざまに議論されてきた。フェミニストのなかには、基本的に「資本主義」と「家父長制」を土台とする社会（「資本主義的家父長制」）と考える者が多いが、ここではベル・フックスは、「白人中心の人種による差別制度」も構造的に存在しているという観点から、「白人至上主義的で資本主義的な家父長制」と呼んでいる。

＊7　ここでいう「ライフスタイル・フェミニズム」とは、アメリカの一九八〇年代に、女性の社会進出がすすみフェミニズムの主張がある程度社会の主流となるなかで、フェミニズムが「政治的な運動」から「ムード的なライフスタイル」を示すものに変わってしまったことを指している。たとえば、一九七〇年代には「政治的運動」としてのフェミニズムを代表する者とはけっして見なされなかった「大都市の裕福なキャリアウーマン」は、八〇年代になると、「ムード的なライフスタイル」を示すフェミニズムの代表的なイメージとなったのである。

＊8　フェミニズムは、女性が自分の生殖機能を管理する権利を主張してきた。アメリカでは一九六〇年代後半に中絶禁止法の廃止を要求、一九七〇年代初めには中絶は「個人の権利」として認められた。だが、中絶の賛否をめぐっては、女性の選択の権利を支持する「選択（プロ・チョイス）派」と、いかなる場合でも（強かんの結果や妊婦の生命救済のためでも）中絶はすべきでないとする「反選択（反チョイス）派」とが対立を深めてきた。とりわけ八〇年代以降は、キリスト教原理主義者を中心とする「反チョイス派」が、中絶を行うクリニックの封鎖や爆破、医師や活動家の殺人事件までひき起こし、対立は今も続いている。

＊9　ここでいう「パワー・フェミニズム」とは、「女性が権力をもつことイコールフェミニズム」という考えを指している。

2 コンシャスネス・レイジング たえまない意識の変革を

人はフェミニストに生まれない、フェミニストになるのだ。人は、ただ単に、幸いにも女性に生まれたという理由でフェミニズムの支持者になるわけではない。すべての政治的立場と同じように、人がフェミニズムの支持者になるのは、選択と行動でなのだ。女性たちが、性差別や男性支配の問題についてみんなで話し合うグループを初めて作ったとき、はっきり確認していたのは、女性もまた男性と同じように性差別的な考え方や価値観を信じるよう社会化されていること、ただ違っているのは、男性は女性よりも性差別から利益を得ており、その結果、家父長主義的な特権を手放したがらない、ということだった。家父長主義を変えたいのなら、女性たちはその前にまず自分自身を変えなくてはならない。つまり、わたしたちの意識（コンシャスネス）を高め（レイジング）なくてはならないのだ。

左翼的で革命的なフェミニズムのコンシャスネス・レイジングで強調されたのは、支配システムとしての家父長制について知ることの重要性であり、それがいかにして社会の制度となり、すみずみにまではりめぐらされ、維持されているかを学ぶことの大切さだった。日常生活のなかで、男性支配や性差別がどんなふうに現れてくるかを理解することで、女性たちは初めて、自分たちがどんなふうに犠牲にされたり、搾取されたり、最悪の場合にはひどく抑圧されているかに目覚めた。フェミニズム運動の当初、コンシャスネス・レイジングの集まりは、女性たちが、犠牲にされてきたことへの恨みつらみや怒りを発散するだけの場になりがちだった。それにたいしてどうしたらいいのか、またそうしたことを変えるには何をしなくてはならないのかの論議が、ほとんどないことが多かったのだ。基本的には、コンシャスネス・レイジングの集まりは、セラピーとしての役割を果たした。傷つき搾取された多くの女性たちにとって、そこは、自分の心の奥深くにしまってきた痛みを告白し、さらけ出すことのできる場だった。こうした告白という要素は、癒しの儀式となった。コンシャスネス・レイジングを通して、女性たちは、職場や家庭での家父長主義的な横暴に立ち向かう力を得たのである。

だが重要なのは、こうしたことを可能にする土台ができたのは、女性たちが、フェミニズムの思想と出会いフェミニズムの運動に関わることを通じて、性差別的な考えを検証し、自分自身の態度や信念を変える方法を見いだそうとしたからだ、ということだ。コンシャスネス・レイジングの集まりは、まず何よりも変革の場だったのである。大衆的なフェミニズム運動をつくり出すためには、人を集めることが必要だった。コンシャスネス・レイジングの集まりは、たいていはだれかの家で（費用を払って借りなくてはならない公共の施設ではなく）開かれ、女性たちが出会う場となった。そこは、ベテランのフェミニストや活動家たちが新しい仲間を獲得する場でもあった。

注目すべきは、コンシャスネス・レイジングの中心をなす方法が、会話と対話にあったことだ。多くの集まりで実行された原則は、すべての人の意見を聞く、ということだった。女性たちは順繰りに話をし、すべての参加者が話す機会を持てるよう気をつけた。上下関係のない平等な討論をつくろうとするこうした試みは、すべての女性に話す機会を与える点でよいものだったが、とりとめのない、かみ合わないおしゃべりに終始することもあった。しかし、ほとんどの場合、全員が最低一回は話をしたあとで、討論や議論になるのがふつうだった。コンシャスネス・レイジングでは、よく討論が白熱したが、それは、男性支配とはどういうものかをみんなして理解するためには、徹底的に討論するのがよいと思っていたからである。とことん話し合い、互いの相違点をはっきりさせることを通してのみ、女性にたいする差別的な搾取や抑圧がどういうものなのか理解することができるからである。

フェミニズムの思想は、初めは、参加者がみな顔見知り（職場の同僚とか友だちとか）であるような小さなグループのなかで伝えられたが、やがて印刷された理論となってより多くの人の目や耳に届くようになった。そうなると、小さなグループは解体していった。女性学が正規の学問として認められるようになると、フェミニズムの考え方や理論について知る別の場ができるようになった。大学に女性学を導入する運動の先頭にたった女性たちのなかには、公民権運動や同性愛者の権利のための運動、また初期のフェミニズム運動でラディカルな活動家だった者が多かった。そういう人たちの多くは博士号など持っていなかったから、大学で教える際に、他の学科の教授たちに比べて低賃金の長時間労働を余儀なくされた。やがて大学院を出た若い学生たちがフェミニスト教師の一翼に加わり始めると、わたしたちにはもっと高い学位をとる必要性がつきつけられた。わたしたちのほとんどは、女性学への関わりを政治活動の一環と見なしていた。だから、大学にフェミニズムを根づかせる基礎を築くために我が身を犠牲にすることをいとわなかった。

一九七〇年代の終わり頃までに、女性学は正規の学問として、大学で認められるようになった。この大勝利は、女性学確立の先鞭をつけた女性たちの失職という事実とひきかえだった。というのも、これらの女性たちは修士号のみで博士号を持っていなかったからである。博士号をとるために大学院に入り直した者もいたが、わたしたちのうちでももっとも優秀で頭のよい女性たちのなかには、そうしない者もいた。彼女たちはもはや大学に一片の幻想も持っていなかったうえに、それまで頑張りすぎて燃え尽きていたし、同時にまた、女性学を支えていたラディカルな思想が改良主義的なリベラリズムに取って代わられてしまったことに不満でもあり、怒ってもいたからだった。まもなく、女性学の教室が、すべての人に開かれていたコンシャスネス・レイジングの集まりに取って代わった。コンシャスネス・レイジングの集まりには、専業主婦もサービス業の女性もバリバリのキャリアウーマンも、実にさまざまな生き方の女性たちがいたが、大学は階級的特権をもつ者だけの集まりだった。裕福な中産階級の女性たちが目立つようになった。彼女たちは、数のうえで多数を占めるだけで、必ずしもフェミニズム運動の先進的なリーダーというわけではなかったが、マスコミはフェミニズムを代表する者として祭り上げた。運動が世間の注目を浴びるようになるにつれ、革命的な意識をもったフェミニストは——その多くは、レズビアンであったり労働者階級出身だったりしたのだが——無視されるようになった。そうした置き換えは、保守的な機関である大学に女性学が確固とした地位を築くようになると同時に完成した。こうして、フェミニズムの考えや社会変革の方法を伝える主要な場として、女性学の教室がコンシャスネス・レイジングの集まりに取って代わり、それとともにフェミニズムは広範な人々を相手にした運動の可能性を失ってしまったのである。

突然、それまでよりもたくさんの女性が「フェミニスト」を自称したり、自分の経済的地位を上げるために「ジェンダーの不平等」という論理を使ったりするようになった。女性学が学問の制度に組み入れられた結果、大学や出版界で仕事が生まれた。こうしたキャリア上の変化が起きると、政治的にはまったくフェミニズム運動に関わったことのない女性たちが、ただキャリア欲しさに、階級的上昇志向にかられて、フェミニズムの立場やフェミニズムの専門用語を採用するといったご都合主義が生み出された。フェミニズムの支持者になるためには、フェミニズムについて知り、フェミニズムを選びとるという自覚的な選択をしなければならない、という考えは、コンシャスネス・レイジングのグループが解体されたことで、まったくといっていいほど消し去られてしまったのである。

女性たちが、他の女性にたいする自分自身の性差別主義に直面する場としてのコンシャスネス・レイジングのグループがなくなると、フェミニズム運動の方向は、職場での平等と男性支配との対決を焦点にするものへと容易に移行した。女性はジェンダー不平等の「犠牲者」であり、その償《つぐな》いを受けて当然（差別的な法律の変更によってであれ、アファーマティブ・アクション[*2]によってであれ）であると強調されることで、女性はフェミニストになるために何よりも自分自身の内面化された性差別主義と対決しなければならない、という考えは失われていった。女性たちは、老いも若きも、男性支配に怒ったりジェンダーの不平等に関心をもったりすれば即「フェミニスト」になれるかのようにふるまい始めた。自分自身の内面化された性差別主義と対決することなしにフェミニズムの旗を振った女性たちはしばしば、他の女性を差別し搾取したり、フェミニズムの主義主張を裏切ったりしたのである。

一九八〇年代の初めになると、フェミニズム運動の初期には非常に重要であった政治的なシスターフッドの呼びかけは意味を失った。それは、ラディカルなフェミニズムが、政治信条は関係ないというわべだけのフェミニズムに凌駕されてしまったからだった。言うまでもなく、そうした考えは、フェミニズムの思想と実践、さらにはフェミニズムそのものを掘り崩した。フェミニズム運動が再生し、性による差別や搾取や抑圧をなくすためのだれもが参加できる大衆的な運動づくりが繰り返し強調されるとき、コンシャスネス・レイジングは再び当初のように重要なものとなるだろう。アルコール依存症克服のためのミーティングを効果的に真似ながら、フェミニズムのコンシャスネス・レイジングは、各地域で開かれ、階級や人種や性別に関わりなくすべての人にフェミニズムのメッセージを伝えるだろう。特定のアイデンティティを共有したコンシャスネス・レイジングのグループ[*3]もできるだろうが、月末には、それぞれ、さまざまな人がまざりあったグループに参加するのがいいだろう。

男性のためのフェミニズムのコンシャスネス・レイジングは、先進的な運動にとって、女性のためのグループと同じくらい決定的な意味をもっている。少年や大人の男性にたいして、性差別とは何か、どうやったらそれを変えられるかを教える男性のためのグループをつくることを強く主張していたら、フェミニズム運動は男性に反対するものだなどと、マスメディアが宣伝することはできなかっただろう。そういうグループを先につくっていれば、フェミニズムに反対する男性グループができる余地もなかっただろう。フェミニズム運動の誕生と相前後してつくられた男性グループは、えてして、性差別や男性支配の問題をとりあげようとしなかった。女性向けの、うわべだけの「ライフスタイル・フェミニズム」と同じく、こうした男性グループは、家父長主義を批判し男性支配に抵抗することを目標とするのでなく、自分の傷を癒すセラピーのような場となることが多かった。こうした間違いを、これからのフェミニズム運動はおかしてはならない。あらゆる年齢の男性にとって必要なのは、性差別に対する抵抗が肯定され、価値あるものとされるような場である。男性が仲間として闘いに加わらないかぎり、フェミニズム運動は前進しない。そうなるためには、フェミニズムとは男性に反対するものだという、文化的につくられた心理に深く根ざした思い込みを変えなくてはならない。フェミニズムが反対しているのは性差別なのだ。男性の特権を脱ぎ捨て、フェミニズムを支持する男性たちは、大切な闘いの同志であり、フェミニズムにとって脅威でもなんでもない。性差別的な考えや行動と手を結んだまま、フェミニズム運動にもぐり込んでくる女性の方がずっと危険な脅威である。自分自身の内面化された性差別と対決し、家父長主義的な思想や行動に加担することをやめて、フェミニストになるべきだと促したことこそ、コンシャスネス・レイジングが行ったもっとも力強い問題提起だと確認すべきだ。こうした問題提起は今でも必要である。それは今なお、フェミニズムを選ぼうとするだれにとっても必要なステップなのだ。外なる敵と対決する前に、わたしたちは内なる敵を変えなくてはならない。脅威なのは、そして敵なのは、性差別的な考え方であり行動なのだ。女性たちが、自分自身の性差別を問題にしそれを変えることなしにフェミニズムの旗を振りつづけるなら、フェミニズム運動は結局だめになってしまうだろう。

訳注

＊1　コンシャスネス・レイジング（Consciousness-raising　略してCRともいう）とは、フェミニズムのための意識高揚、意識覚醒のこと。一九六〇年代後半、女性たちは小規模なグループで会合を

開き、そこで個人的な体験を共有しながら、そうした体験が家父長制社会における構造的な問題であることを理解した。それはまた、性差別の問題が個々人の意識の問題であることを理解し、自分自身の差別意識に気づく場でもあった。

＊2　差別を是正するための積極的な改善措置。ポジティブ・アクションとも呼ばれる。アメリカ合州国では、一九六〇年代に人種や性をめぐって採用されたが、具体的な内容はさまざまである。

＊3　「特定のアイデンティティを共有したコンシャスネス・レイジングのグループ」が必要なのは、女性のあいだにも「違い」があるからである。わたしたちはたとえば、時と場合によって、「黒人の」女性、「日本人の」女性、「労働者階級の」女性、「性暴力のサバイバーの」女性といった「特定のアイデンティティ」を共有するグループを必要とするだろう。そして同時に、「さまざまな人がまざりあったグループ」もまた必要なのである。

3　女の絆は今でも強い

「シスターフッド・イズ・パワフル（女同士の絆は強い）」というスローガンが最初に使われたとき、それはびっくりするような大事件だった。フェミニズム運動にわたしが全面的に参加しはじめたのは、大学二年のときだった。わたしは一年間女子大にいて、その後スタンフォード大学に移った。だから、自分自身の体験から、女子学生だけの教室と男子学生もいる教室とで、女性の自信や自己表現力に差があることがわかった。スタンフォード大学では、どの教室でも男子学生が幅をきかせていた。女子学生はおとなしく、男子学生の陰に隠れていて、発言するときも聞き取れないような小さな声でぼそぼそ言うだけ。その声には、力強さも自信もなかった。しかも最悪だったのは、女は男のようには知的でないから「偉大な」思想家にも作家にもなれないと、ことあるごとに男性教授たちから聞かされたことだった。こうした態度はショックだった。というのも、かつてわたしがいた女子大では、教授陣もほとんどが女性だったが、自らの学問的洗練の基準にてらして、つねに女子学生の知的な価値や能力を認めてくれたからだった。

実際に、大好きだった白人の英文学教授は、この女子大には文章作法の専門プログラムがないから必要とする学問上の指導が得られないだろうと、わたしのために考えてくれた。そして、スタンフォード大学を受験するよう励ましてくれたのだ。彼女は、わたしが将来、重要な思想家となり作家となることを信じてくれた。しかしスタンフォード大学では、わたしの能力はいつも疑問視された。わたしも自信を失いかけた。そんなとき、フェミニズム運動がキャンパスを揺るがしたのだ。女性の学生も教授も、教室の内外での女性差別をやめるよう要求した。ああ、それはもう、熱くてすごい時代だった。そのなかで、わたしは初めて女性学の授業を受けた。講師は作家のティリー・オルセンで、彼女は労働者階級出身者としての体験をもとに、何よりもまず女性の問題を考えようと学生たちに語った。また、伝記作家で詩人のダイアン・ミドルブルックがアン・セクストン[*1]の生涯を紹介しながら、現代詩についての講義をしたとき、教室でわたしの詩を名前は伏せたまま配り、この詩の作者は女性か男性かわかりますか、と質問した。それは、作品の価値をジェンダー的な偏見で判断することについて批判的に考えることを、わたしたちに教える試みだった。こんな熱気のなかで、わたしは十九歳のとき、最初の本『わたしは女じゃないの？——黒人女性とフェミニズム』[*2]を書きはじめた。こうした信じられないような変化は、女性の連帯の土台を初めて創ろうとしたフェミニズム運動なしには、けっして起こらなかっただろう。

そのフェミニズム運動の土台とは、その当時、わたしたちが「内なる敵」と呼んでいたもの、つまり「わたしたちの内なる性差別」への批判だった。わたしたちが、なによりもまず知っていたのは、わたしたちはみな家父長主義的な考えによって女として育てられたことであり、その結果、女は男より劣っていると思い込み、家父長制のもとで認められようと女同士で争う以外になく、互いを嫉妬や恐れや憎しみで見るように社会化されている、ということだった。性差別の考えは、女同士が互いを同情の目で見ず、厳しく罰しあうよう仕向けてきたのである。フェミニズムは女性たちに自己嫌悪に陥る必要がないことを教えてくれた。フェミニズムは、わたしたちの意識を縛っている家父長主義な考えから自由になることを可能にしてくれたのだ。

男同士の助け合いは受け入れられ、家父長主義文化の好ましい面として認知されてきた。集団のなかの男性は、固い絆で結ばれ、互いに支え合い、チームの一員として集団の利益を個人の利益や名誉に優先させるものだとされてきたのだ。だが、女同士の絆は、家父長制のもとでは不可能とされた。それは掟《おきて》破りだった。フェミニズム運動が初めて、女同士の絆を可能にする土台を創ったのだ。わたしたちが女同士の絆を結んだのは、男性に反対するためではなく、女性としての利益を守るためだった。たとえば、わたしたちは団結して、女性作家の本を授業でまったくとりあげようとしない教授に抗議したが、それはそういう男性教授を敵視したからではない（たしかに、なかには嫌いな教授もいたが）。それは、授業やカリキュラムのジェンダー的な偏向をやめさせたいと思ったからだった。

一九七〇年代前半に、男女共学のわたしたちの大学で起こっていたフェミニズムの波は、家庭や職場でも起こっていた。フェミニズム運動がまず教えてくれたのは、わたしたち自身もわたしたちのからだも男性の所有物ではない、ということだった。わたしたちのセクシュアリティを自分の手にとりもどし、安全で効果的な避妊と生殖に関する権利を獲得し、レイプやセクシュアル・ハラスメントをなくすために、わたしたちは連帯して立ちあがる必要があった。職場での差別をなくすために、政治家に働きかける集団を作る必要もあった。女性自身がもっている性差別的な考えと対決し変えてゆくことは、アメリカ社会を根底から揺り動かすだろう、そうしたシスターフッドを強いものにしてゆくための第一歩だったのである。

公民権をめぐる革命的な運動にひきつづいて一九七〇年代から八〇年代におこったフェミニズム運動は、アメリカ社会を一変させた。こうした変化をもたらしたフェミニズム運動の活動家たちがめざしたのは、すべての女性が生きやすい社会だった。そのころのわたしたちにとって、シスターフッドという言葉で表された女性の政治的連帯とは、単に女だからわかりあえるとか、女として受けた同じ苦しみへの同情、といったことを超えたものだった。フェミニズムのいうシスターフッドは、家父長制のもとでの不公正――それがどんな形をとっているにしろ――に対する闘いに共に参加することから生まれるものなのだ。女性の政治的な連帯はかならず性差別主義を揺るがし、家父長主義をなくす一歩となる。ただ重要なことは、もし個々の女性が、あまり特権を与えられていない集団に属している女性を支配したり搾取したりする権力を手放そうとしないなら、シスターフッドが階級や人種の壁を超えて結ばれることはない、ということだ。女性が、他の女性を支配するために階級的なあるいは人種的な権力を行使するかぎり、フェミニズムのシスターフッドが真に実現することはない。

一九八〇年代になると、より多くの女性たちがご都合主義的にフェミニストを自称するようになったが、そうした女性たちの多くは、自分自身の「内なる性差別」を脱ぎ捨てるためのフェミニズムのコンシャスネス・レイジングの体験がなかった。そのため、そうした女性たちは、他の女性との関係を形づくる際に、権力をもつ者が弱い者を支配すべきだという家父長主義の考えを取り入れた。女性たち、なかでもかつては女性としての差別待遇を受けていた裕福な白人女性たちが、自分自身の「内なる性差別」を脱ぎ捨てることなしに階級的特権を行使し始めると、女性間の分裂は深まった。黒人やヒスパニック、ネイティブ・アメリカンやアジア系など有色の女性たちが、社会全体の人種差別を批判し、そうした人種差別主義がフェミニズムの理論や実践を形づくったり、そのなかに持ち込まれたりしていることに注意を喚起したとき、多くの白人女性は聞く耳を持たず、ただ心を閉ざし、シスターフッドの理念に背を向けた。それは、女性のあいだにある階級差別の問題についてもまったく同じだった。

今でも覚えているのだが、フェミニストの女性たちが、家事を手助けしてくれる女性を雇うべきか否かについて議論したことがあった。集まったフェミニストのほとんどは階級的に恵まれた白人女性だったが、そこで討論されたことは、経済的に恵まれない女性たちを搾取したり非人間化したりすることに手を貸さずに、家事手伝いの女性を雇用する方法をどう見つけ出すか、だった。参加者のなかには、社会全体ではいまだに不平等が存在するなかで、雇用した女性とのあいだに、なんとか互いの利益にかなうような良い関係を結ぶことに成功している女性たちもいた。これらの女性たちは、すぐに理想社会が実現できないからといってシスターフッドの理念を投げ捨てる代わりに、関係するすべての人の必要を考慮しながら、現実のシスターフッドを創りだしたのである。これはフェミニストたちが女性同士の絆を築こうと一生懸命努力した例である。悲しいことには、フェミニズムの成果が常識となり当然のこととなるにつれ、自分の都合のいいときだけフェミニストを自称する人たちが増え、多くの女性たちはこうした連帯を創り出し維持するために一生懸命なにかをしようとは思わなくなってしまった。

大多数の女性たちは、ただ単に、シスターフッドという考えを放棄した。一度は、それぞれに家父長主義を批判し異議を唱えた女性たちが、性差別的な男性たちと再び手を結ぶにいたった。女性のあいだでの足の引っ張りあいに失望したラディカルな女性たちは、フェミニズムから遠ざかった。そしてこの時点で、すべての女性の生き方を良い方向に変えることをめざしたフェミニズム運動は、分裂し階層化した。フェミニズム運動の団結のスローガンだったシスターフッドの理念は、多くの女性にとって、もうどうでもよいものになってしまったようだった。よりよい変化を引き起こすための女性の政治的連帯は弱められ、危機に瀕している。その結果、わたしたちは、フェミニズム運動が始まったときと同じく、女性同士の政治的連帯を新しく創りなおす必要に直面しているのだ。

フェミニズム運動が始まったときには、シスターフッドの理念はあったものの、女性同士の絆を実現するのに実際になにが必要かはわかっていなかった。でも今は、これまでの体験や困難な闘いを通じて、そして、そう、多くの失敗やまちがいを通して、女性たちの連帯を創り、維持し、守るためにはなにが必要か、新しくフェミニズムに参加する人たちに教えられるだけの理論や実践が、わたしたちの手元にはある。若い女性たちは、フェミニズムについてほとんど知らないか、もう性差別など問題ではないというまちがった考えを知っているだけなので、批判的な意識をもつためのフェミニズムの教育をまだ必要としている。だが古くからのフェミニストたちは、大人になろうとする若い女性たちが、今まさにフェミニズムの知識を必要としていることに気づこうとしない。若い女性たちには道案内が必要なのに。アメリカ社会のほとんどの女性たちが、シスターフッドの価値や力を忘れかけている。フェミニズム運動は再生し、新しい「シスターフッド・イズ・パワフル」の旗を、再び高く掲げなくてはならないのだ。

ラディカルな女性たちは今なお、シスターフッドを築き、現実に女性のあいだの政治的な連帯を維持するための努力をつづけている。今なお、人種や階級を超えた連帯の絆をつくろうと努力している。そして今なお、性差別に反対する考えや実践を続けるならば、女性たちは互いに支配することなく自己実現や成功をなしとげられるのだ、という事実を確認している。わたしたちが手にしているすばらしい宝物、それは、シスターフッドは具体的に可能だし今でも力強いという、日々の体験なのである。

訳注

＊1　Anne Sexton（1928～1974）　アメリカの女性詩人。

＊2　*Ain't I a Woman?: Black Women and Feminism*, bell hooks, 1981.（邦題『アメリカ黒人女性とフェミニズム――ベル・フックスの「私は女ではないの？」』大類久恵監訳・柳沢圭子訳、明石書店、二〇一〇年）なお、この主標題は、十九世紀のアメリカで、白人女性参政権運動家たちを前に解放黒人奴隷の女性ソジャーナ・トゥルースが述べた言葉による。

4　批判的な意識のためのフェミニズム教育

女性学の講座があったり、フェミニズムの本が書かれたりする以前、女性たちがフェミニズムについて学ぶ場は女性グループのなかだった。初めてフェミニズムの理論を創ったのはこうしたグループに参加した女性たちで、そこでは性差別とは何かや家父長制といかに闘うか、また、新しい社会のモデルとはどんなものかが、考えられた。わたしたちが日々行うことは理論的に説明がつく。自分が何かを考えたり行動したりする理由を、わたしたちが意識していようといまいと、考えや行動を形づくるシステムは存在するのだ。フェミニズム理論は、性差別的な考えがどのように存在し、それに反対したり変えたりするにはどうしたらいいか、女性や男性に説明することを、当初からその主要な目的としていた。

かつて、わたしたちのほとんどは、親や社会によって、性差別的な考えを受け入れるように育てられた。そうした考えがいったいどこから来たものか、考えてみることもなかった。それを考えさせてくれたのが、フェミニズムの思想であり理論だった。最初、フェミニズムの理論は、口伝えにか、またはせいぜいペラペラの紙を束ねたニュースレターやパンフレットでしか手に入らなかった。やがて女性たちは出版に乗り出し（女性たちは、書き、印刷し、やがて購買力を含むあらゆるレベルの生産力を手にするまでになった）、本がフェミニズムを広める場となった。わたしの最初の本『わたしは女じゃないの？——黒人女性とフェミニズム』は一九七〇年代に書かれて一九八一年に出版された。出版社は小さな左翼系出版社サウス・エンド・プレスで、社員の少なくとも半分はフェミニストの女性であり、全社員が性差別に反対していた。

フェミニズムの本が次々と出版されたり、歴史のなかで葬られてきた女性たちの作品に光があてられたりしたことは、フェミニズム運動のもっとも力強い成果のひとつである。女性によって書かれたものは、文学作品にしろ学術論文にしろ、どんなジャンルでも、性差別の結果として、歴史的に低い評価しか受けてこなかった。フェミニズム運動が大学のカリキュラムに存在するジェンダー的な偏向を暴いたことで、無視され忘れ去られてきた多くの女性の作品が再発見されたのはすばらしいことだ。女性学が大学で教えられるようになると、女性の作品を学問や研究の対象とすることが制度的に認められるようになった。黒人学につづいて起こった女性学は、だれもがジェンダーや女性について、偏見や差別のない視点で学べる場となったのである。

一般に思われているのとは逆に、女性学を教える教授たちは男性の作品や論文を軽んじたりはしなかった。わたしたちは、性差別的な考えに疑問をなげかけ、女性の作品が男性の作品と比べて、優っているとは一概に言えないまでも、同じくらいすばらしくおもしろいことを示しているのである。男性作家の「偉大な」作品を批判するのは、文学的な価値を判断するときにはたらく差別や偏見を明らかにするためだ。少なくともわたしは、男性の書いたものをくだらないとかどうでもいいとか言って軽んじるような女性学の講義を受けたこともないし、耳にしたこともない。男性だけの学問や文学の世界にたいするフェミニズムの批判は、そこにあるジェンダーにもとづく差別を暴いた。重要なことは、こうした批判があったおかげで、過去の女性作品が再発見されたり、また、現在、女性による作品や女性についての研究に場が与えられているのだ、ということである。

学問として認められたことは、フェミニズムを勢いづけた。アメリカ中の教室で若い学生たちがフェミニズムの思想について学び、理論を読み、それを使って研究できるようになった。大学院で修士論文の準備をしていたとき、わたしが、当時はまだあまり知られていなかった黒人女性作家トニ・モリソン[*1]を論文のテーマにとりあげることができたのは、フェミニズムのおかげだった。フェミニズム運動以前には、黒人女性作家の作品をまともにとりあげる研究はほとんどなかった。アリス・ウォーカー[*2]が作家として有名になったとき、ゾラ・ニール・ハーストン[*3]の作品の掘り起こしに尽力したが、ハーストンはまもなく、アメリカ文学史上もっとも重要な黒人女性作家として認められるようになった。女性の文学作品や学術論文に敬意を払い、過去および現在の作品を正当に認めること、そして、大学のカリキュラムや教育にひそむジェンダー的な偏りをなくすことを要求したとき、フェミニズム運動はひとつの革命をなしとげたのだ。

大学や教育のなかに女性学が入り込んだことは、フェミニズムを広めるのに役立った。女性学は、授業という形をとって、自由にものを考えることを奨励し、変革の場を提供した。学生たちは学ぶために女性学の教室にやって来た。学生たちはフェミニズムについてもっと知りたがった。そして、わたしたちの多くが政治的に目覚めたのは、そういう教室でだった。わたしがフェミニズムに接近したのは、家父長主義的な家庭で男性支配に抵抗することによってだった。だが、搾取的で抑圧的なシステムによってひどい目にあうだけでは、あるいはそれに抵抗したとしてもそれだけでは、なぜそういうことが起こるのか、そしてそれをどう変えたらいいのか、わかったことにはならない。たしかに、わたしは大学に入るずっと以前からフェミニストだった。だが、女性学の教室こそは、わたしがフェミニズムの思想や理論について学んだ場だった。そして、まさにその場でわたしは、批判的に考えることを奨励され、黒人女性の体験について書く勇気を与えられたのだった。

一九七〇年代を通じて、フェミニズムの思想や理論は共同作業として創られた。女性たちはたえまなく、さまざまな考えを出し合い、理論を現実に照らし合わせてみたり、練り直したりした。現実に、黒人女性や他の有色女性たちが、フェミニズムのなかに人種的偏見があると指摘したときもそうだった。特権的な中産階級の女性たちが女性の普遍的な体験と思ってきたものが実はそうではない、という考えは、初めはなかなか受け入れられなかったが、やがてフェミニズム理論は変わった。多くの白人のフェミニズム理論家は、自分の偏見に気づきはしても、根本から考え直したわけではなかったが、それでもこれは大きな変化だった。一九八〇年代後半には、ほとんどのフェミニズムの文献には、人種や階級の違いについての自覚が見てとれるようになった。そして、フェミニズム運動と深く関わり、女性の連帯について真剣に考えていたフェミニストの学者たちは、大多数の女性の現実に迫るような理論を創ろうと熱心に努力した。

フェミニズムが学問として認められたことは、フェミニズム思想の発展にとって決定的なことだったが、それは新たな困難をも生み出した。突如として、思想や実践から直接に導き出されたフェミニズムの思想は顧みられなくなり、専門家にしかわからない難しい用語を駆使したメタ言語学的な理論が注目されるようになった。そうしたフェミニズム理論はただインテリや学者のためにだけ書かれたものだった。それはまるで、フェミニストたちが大挙して、「内輪」だけに通じる難解な理論を書くエリート集団をつくりはじめたかのようだった。

インテリでも学者でもない女性や男性はもはや、フェミニズム思想の重要な受けとり手とは考えられないようになった。フェミニズムの思想や理論はもはや、フェミニズム運動と結びついたものではなくなった。学会や出版界の動向やキャリア至上主義が、フェミニズムに影を落とした。フェミニズム理論は、一般の人々の世界とは無縁な学者やインテリの世界にだけ通用するものとなり始めた。たしかに、先進的な内容の学術論文は、かつても、そして現在も書かれている。だが、そうした考えがたくさんの人に届くことはない。こうしたことの結果として、フェミニズムが学問化し専門化すると、フェミニズム運動は非政治化し、弱まってしまう。女性学からはラディカルさが消えてなくなり、ただジェンダーに焦点をあてているという違いがあるだけの、他の学科と同じものになってしまうのだ。

たくさんの人に届き、いろいろな人にフェミニズムをわかってもらうためには、文章はさまざまなスタイルや形式で書かれる必要がある。とりわけ、若者文化に照準をあてたものが必要だ。学者やインテリはだれもこういう本を書いていない。大学での女性学の授業は、今や、ジェンダーの公正さを求める闘いがもたらした変化を後戻りさせようとたくらむ保守派によって存在が危うくなっているが、こうした大学での女性学の講座を減らすことなく、同時に地域に根ざしたフェミニズムの講座をつくる必要がある。隣同士で本を回覧したり、フェミニズムとはどういうものかを説明する場を近所に設けたり（ちょうど宗教団体がやっているように）といったフェミニズム運動をイメージしてみよう。

フェミニズム運動が盛んだったころ、子どもの本にある性差別に批判が集まった。「自由な子どものための本」がいくつも書かれた。わたしたちが警戒と批判の手を緩めるやいなや、そこには再び性差別が現れた。子どもの本は、批判的な意識のためのフェミニズム教育のもっとも重要な場のひとつである。というのも、子ども時代というのはまさに、信念やアイデンティティが形づくられるときであり、また、ジェンダーについての狭量な考えが、今も子どもたちの遊び場のルールになることが多いからである。子どものための公教育という場で、フェミニストは、性差別のないカリキュラムを創る努力を続けなくてはならない。

これからのフェミニズム運動では、みんなの人生にとって有意義なフェミニズムの教育について考える必要がある。個々のフェミニスト女性が経済力を手にし、フェミニズムの支持者にも、裕福な女性や裕福な男性からの富を受けとった女性がたくさんいるというのに、フェミニズムの理念によって設立された少女や少年のための、あるいは女性や男性のための学校をわたしたちはいまだにもっていない。みんなにフェミニズムを教えるための大衆的な教育運動を創れなければ、人々がフェミニズムについて学ぶ主たる場は家父長主義的なメディアであり、そのほとんどは否定的なものだという現実をそのままにしてしまうことになる。みんなにフェミニズムの思想と理論を教えるには、学生やインテリ層だけでなくもっとさまざまな人々に呼びかけ、書かれた文字だけではない手段を使わなければならない。ほとんどの人はフェミニズムの本を読む技術をもたない。本を吹き込んだテープ、歌やラジオやテレビなどをすべて使って、フェミニズムの知識を伝えることができる。そしてもちろん、フェミニズムのテレビ局が必要だ。ただし、このフェミニズムのテレビ局というのは、女性のためのテレビ局と同じではない。フェミニズムのテレビ局を創るための基金を電波で呼びかければ、世界中にフェミニズムを広める役にもたつだろう。テレビ局のオーナーになるのがむずかしければ、今あるテレビの時間を買ってもいい。雑誌

『ミズ』*4は、必ずしも性差別に反対しているわけではない男性が経営者だった時期を経て、今ではフェミニズム運動に深く関わる女性たちによって経営されている。この例は、正しい方向へのステップを示している。

女性にも男性にも、みんなにフェミニズムを教える大衆的な運動を創らなければ、有力なマスメディアが流す否定的な情報によって、フェミニズムの理論と実践はたえまなく弱められてしまうだろう。わたしたちがフェミニズムの成果に光を当てなかったら、わたしたちの生活にフェミニズムがどれほどよい影響を与えたか、人々は知ることができない。家父長主義的な文化は、みんなが生きやすい社会をつくるためにフェミニズムが果たした建設的な貢献の成果をかすめとりながら、しかもフェミニズムを否定的に描こうとする。だからほとんどの人は、フェミニズムがわたしたちの生活をさまざまな面でよい方向へ変えたことを知らないのだ。みんながフェミニズムの思想や実践を知れば、フェミニズム運動はこれからも続くだろう。フェミニズムの知識はみんなのためなのだから。

訳注

*1　Toni Morrison（1931～2019）アフリカ系アメリカ人女性の小説家、理論家。主要な作品に *The Bluest Eye*（邦題『青い眼がほしい』大社淑子訳、早川書房、一九九四年）、*Sula*（邦題『スーラ』大社淑子訳、早川書房、一九九五年）などがある。一九九三年にノーベル文学賞を受賞した。

*2　Alice Walker（1944～）アフリカ系アメリカ人女性の小説家、詩人、批評家。一九八三年に

The Color Purple（邦題『カラーパープル』柳沢由実子訳、集英社、一九八六年）でピューリッツァー賞を受賞、世界的に有名となる。同作は一九八五年に映画化された。

＊3　Zora Neale Hurston（1891～1960）　アフリカ系アメリカ人女性の小説家、随筆家、民俗学者。一九三七年に書かれた *Their Eyes were Watching God*（邦題『彼らの目は神を見ていた』松本昇訳、新宿書房、一九九五年）はフェミニズムの古典となっている。

＊4　雑誌『ミズ（*Ms.*）』は、アメリカで一九七二年にグロリア・スタイネムらによって創刊されたフェミニズムの月刊誌。政治にあまり関心のない女性にまでフェミニズムを広めようと広告やファッションなども掲載する雑誌として発行され、さまざまな経過を経て、一九九〇年以降は広告を載せない隔月刊・予約購読のフェミニズム雑誌として発行されている。なお、標題の「ミズ」は、ミス／ミセスのように婚姻を問う語に代わって、男性用のミスターと同じように、すべての女性が使える敬称としてフェミニズム運動によって広まった。

5 わたしたちのからだ、わたしたち自身 リプロダクティブ・ライツ

フェミニズム運動が始まったとき、もっとも重要だとしてとりあげられた問題は、その多くが、高学歴の白人女性（ほとんどが物質的にも恵まれた）の体験から直接導き出されたものだった。フェミニズム運動は、公民権運動と性の解放とにひきつづいて起こったので、その当時のなりゆきとして、女性のからだをめぐる問題が前面に出てきたのは当然だっただろう。マスメディアが世界中に流したイメージでは、フェミニズム運動の始まりはミスアメリカ・コンテストの会場でブラジャーを燃やす女性たちで、その後は中絶の権利を要求する女性たち、ということになっているが、事実はそうではなくて、フェミニズム運動の最初の盛りあがりをつくった問題のひとつは、セクシュアリティの問題だった——つまり、女性は、いつだれと性的な行動をするかを自分で決める権利がある、ということである。女性のからだを性的に搾取することは、社会主義運動にしろ公民権運動にしろ、社会正義を求めるラディカルな運動のなかで日常茶飯事として起こっていたからだ。

いわゆる性革命が最高潮に達していたとき、「フリーラブ」（ふつう、セックスしたいときに、だれとでもしたいだけセックスする、という意味に解釈されている）は、女性にとって、望まない妊娠という問題に直面することを意味した。「フリーラブ」をめぐるジェンダー的な平等が存在するにしろ、その前に女性たちが必要としていたのは、安全で効果的な避妊方法と中絶の権利だった。当時、こうした安全策を手にできるのは、階級的な特権をもった裕福な白人女性にかぎられていて、ほとんどの女性はそうはいかなかった。さらにまた、階級的特権をもった裕福な女性のなかにも、望まない妊娠を恥ずかしいと考え、ちゃんとした避妊やケアをしようとしない女性も多かった。一九六〇年代の終わりから一九七〇年代の初めに、中絶するはめになった女性たちが見たものは、非合法的な中絶による数々の悲劇だったり、望まない妊娠の結果としてのみじめな結婚だった。そもそもわたしたちの多くが、望んだわけではないが妊娠してしまったことで人生設計を変えざるをえなくなった、才能と創造力にあふれた女性たちの意図せざる子どもであり、人生の不運にたいする女たちの悲しみや怒りや失望をこの目で見てきたのだ。わたしたちにとってはっきりしていたことは、よりよい安全な避妊手段と安全で合法的な中絶の権利が手に入らないかぎり、女性と男性にとっての真の性の解放などありえない、ということだった。

　今から思えば、性と生殖《リプロダクション》全体に関わる権利ではなく中絶の権利が焦点になったことのなかに、フェミニズム運動の前面にたっていた中産階級の女性たちの階級的偏見が表れていた。たしかに、中絶の権利はすべての女性に関わるものだったし、それは今もその通りなのだが、それと同じくらい重要で注目に値する、性と生殖に関する問題が存在していたし、それらの問題も運動の焦点になるべきだった。そうした問題とは、基本的な性教育や出産前の健康管理、女性が自分のからだのしくみを知ることができるような予防的な健康管理から、強制的な不妊手術や不必要な帝王切開や子宮摘出とその後におこる医学上の諸症状まで、いろいろあった。こうした、性と生殖に関するさまざまな問題のなかで、階級的特権をもった中産階級の女性にとって個人的にもっとも切実だったのが、望まない妊娠のつらさだった。そこで、階級的特権をもった女性たちは、中絶の問題を第一にかかげたのだった。もちろん、安全で合法的な中絶の権利を必要としていたのが階級的特権を持った女性たちだけだった、というわけでは全然ない。すでに述べたように、こうした女性たちは中絶に必要な資産を、圧倒的に、貧しい労働者階級の女性たちよりも持っていた。黒人女性をふくむ貧しい女性たちはこの当時、非合法の中絶に向かうことが多かった。中絶の権利は、ただ白人女性だけの問題ではなかった。ただそれは、大多数のアメリカ女性にとって、性と生殖に関わる唯一の、あるいは最重要の課題というわけではなかったのである。

効果的であっても完全に安全というわけではない避妊用ピルの開発（それをつくったのは男性の科学者で、その多くは性差別に反対していたわけではなかった）は、中絶の権利以上に、女性の性的な解放への道を開いた。わたし自身もそうだったのだが、ピルが初めて広く手に入るようになったころにちょうど十代の後半だった女性たちは、望まない妊娠の不安や恥ずかしさを感じなくてすむようになった。信頼できる避妊手段は、「プロ・チョイス派[*1]」だが自分自身がそういう問題に直面せざるをえなくなった場合には中絶を選ぶかどうかわからない多くの女性たち——わたしもその一人である——を解放した。わたし自身は、性解放の絶頂期にあっても、望まない妊娠をしたことはなかったが、仲間のなかには、妊娠を警戒してわざわざ避妊用ピルを飲むよりも中絶の方がいいと思う女性も多くいた。彼女たちは、避妊の手段として中絶を繰り返していた。ピルを使うことは、性的に活発でありたいという選択を意味していたからである。避妊に関心をもっている女性はしばしば、男性たちから、性的にルーズだと見なされた。だから女性のなかには、なりゆきまかせに性的な行為をしてしまって、「問題」には後から中絶という形で対処する方がたやすいと感じる者もいたのだ。今ではわたしたちは、中絶を繰り返すことも、長期にわたって高容量のエストロゲンを含むピルを服用することも、どちらも安全ではないことを知っている。だが、当時の女性たちは、性的自由を手にするため、選択の権利を手にするために、リスクを引き受けようとしていた。

妊娠中絶の問題はマスメディアの注目を集めたが、それは中絶が、キリスト教原理主義の考えに相反するものだったからである。中絶の権利は、女性の存在理由は子どもを産むことだとする考え方に真っ向から挑戦するものだった。それは、女性のからだについてのこの国の人々の関心をかつてないほどひき起こした。中絶の権利は、教会にたいする真っ向からの挑戦だった。その後、フェミニズムは、性と生殖に関する他の問題にも注目するよう主張したが、メディアはほとんど無視した。帝王切開や子宮摘出をはじめとするさまざまな医学上の問題は、マスメディアにとっておいしい話題ではなかったのだ。というのも、それらの問題は、女性のからだを管理し、女性のからだを使って何でも好きなことをしてきた、男性ばかりの、金もうけ第一で性差別的な医学システムを告発するものだったからだ。こうした領域でのジェンダーの不公正に焦点をあてることは、根っから保守的でほとんどの点で反フェミニズム的であるマスメディアにとっては、あまりにラディカルなことだったのだ。

一九六〇年代後半から一九七〇年代初めにフェミニズム運動に参加した者にとって、まさか一九九〇年代に、性と生殖に関する女性の権利を守るための闘いをしなくてはならなくなるとは、思いもしなかった。ひとたびフェミニズムが、比較的安全な避妊手段の使用を可能にし、安全で合法的な中絶の権利を手にする文化的な革命を起こしたなら、そうした権利が再び疑問視されることなどないと、女性たちは単純に考えていたのである。組織されたラディカルなフェミニズムの大衆運動が姿を消すと同時に、宗教的な原理主義にもとづく組織された右翼的な政治団体からの反フェミニズム的なバックラッシュ（反動）[*2]がおこり、中絶の問題を再び政治課題にひきすえた。今や、女性の選択の権利に異論が唱えられているのである。

悲しむべきことに、中絶反対論者が悪辣《あくらつ》にも狙い撃ちにしているのは、国の助成を受けているために低料金で受けられ、どうしても必要なら無料でも受けられる中絶である。その結果、人種にかかわりなく階級的特権をもった裕福な女性たちは安全な中絶を受けることができる——選択の権利を持ちつづけられる——のに、物質的に不利な条件にある女性たちは苦しんでいるのだ。性と生殖とヘルスケアのための政府の助成がなくなれば、多くの貧しい労働者階級の女性たちは、中絶を受けられなくなる。高額の料金を払った人にだけ中絶が可能になるという事態になっても、階級的特権をもった女性たちはお金を払えるので、さほど脅威には感じない。だが、大多数の女性には、そうした階級的特権はないのだ。物質的に恵まれない貧しい女性が今ほど増えていることはない。こうした女性たちにとって、安全で低料金で、場合によっては無料でも受けられる中絶の権利がなくなれば、自分自身のからだを管理することはできなくなってしまう。もし、金持ちの女性だけが中絶できるような社会に逆戻りしてしまえば、中絶が非合法化される政策が再び登場する危険がある。実際、それは多くの保守的な州ですでに起こっているのだ。あらゆる階級の女性たちは、中絶を安全で合法的でだれでも受けられるものにしつづけなくてはならない。

　女性が中絶するかどうかを選ぶ権利は、性と生殖に関する権利《リプロダクティブ・ライツ》*3のひとつの側面にすぎない。性と生殖に関する権利のどのような面ともっとも関係が深いかは、女性の年齢や生活状況によって変わる。性的に活発で、避妊用ピルの安全性に疑いをもっている二十代から三十代の女性なら、そのうち望まない妊娠に直面するかもしれない。そういう女性にとってもっとも関係が深い性と生殖に関する権利は、合法的で低料金で安全に中絶できる権利だろう。だが、女性が更年期で、医者から子宮摘出を勧められているというような場合だったら、その問題が、性と生殖に関する権利のうちでもっとも切実な問題となるだろう。

性と生殖に関する権利は、わたしたちが大衆的なフェミニズム運動の炎を再び燃えあがらせようとするときにも、重要な課題でありつづけるだろう。女性たちが、自分自身のからだに起こることを選ぶ権利をもたないなら、わたしたちの生活の他の領域の権利をも手放す危険をおかすことになる。再生されたフェミニズム運動では、性と生殖に関する権利の問題は、どれかひとつというのでなく、全体としてとりあげられるべきだ。こう言ったからといって、合法的で低料金で安全な中絶を推し進めることを運動の中心にしないということではない。ただ、それだけが中心問題になるわけではない、ということだ。もし、性教育や予防的な健康管理やすぐ手に入る避妊手段がすべての女性に提供されたなら、望まない妊娠をする女性は減るだろう。その結果、中絶の必要も減るにちがいない。

合法的で低料金で安全な中絶をめぐって獲得した地平が後退することは、性と生殖をめぐるあらゆる問題で獲得した地平が後退することを意味する。「反チョイス運動」は基本的に、反フェミニズム的である。女性が、個人的に、自分はけっして中絶しないことを選択することはできる。だが、フェミニズムを支持するということは「プロ・チョイス派」だということであり、中絶を必要とする女性が、するかしないかを選べる権利を支持するということだ。効果的な避妊手段をいつでも手にしてきた若い女性たち——非合法の中絶によって引き起こされた悲劇をその目で見ていない女性たち——は、もし女性が性と生殖に関する権利をもたなければ、その結果、つねに無力な立場におかれ搾取の犠牲になることを、身をもって体験していない。性と生殖に関する権利のさまざまな問題についての論議は、あらゆる年齢の女性たちやともに闘う男性たちが、そうした権利がなぜ重要なのかをもっとよく理解するために、続けられる必要がある。そうした理解があってこそ、すべての女性が性と生殖に関する権利を手にし続けられるように、わたしたちはがんばれるのだ。フェミニズムが性と生殖に関する権利を主張することは、わたしたちの自由を守りつづけるために、必要なのである。

訳注

＊1　第1章の訳注8を参照。

＊2　フェミニズム運動の成果や功績を転覆させようとする反動や女性の権利にたいする保守派からの反撃のこと。アメリカで一九九一年にスーザン・ファルーディが著書*Backlash : The Undeclared War Against American Women*（邦題『バックラッシュ――逆襲される女たち』伊藤由紀子・加藤真樹子訳、新潮社、一九九四年）で用いたことから広まった。

＊3　性と生殖に関する権利（リプロダクティブ・ライツ）とは、女性が生殖機能を自ら管理する権利を言い、母親になる権利および母親にならない権利を含む包括的な用語。性教育、妊娠、出産、避妊、中絶、生殖医療の問題等々、幅広い問題が含まれる。

6　内面の美、外見の美

女性のからだについての性差別的な考え方に異議を唱えたことは、フェミニズム運動がなしとげたもっとも力づよい成果のひとつだった。女性解放運動が始まる前、女性たちはみな、老いも若きも、女の価値は外見次第だと信じていた。他人から美人だと思われるかどうか、とりわけ男性からそう思われるかどうかで女性の価値が決まると思っていたのだ。女性の解放が、のびやかな自尊心や自分自身への愛情を育むことなしにはけっしてありえないことを確信したフェミニストたちは、ズバリ核心に迫った――つまり、女性たちが、自分のからだについてどう感じたり考えたりしているかを批判的に見直し、それを変えるためにはどうしたらいいかを提案したのである。以来、女性たちは、ブラジャーをするかどうかを自分で選ぶという心地よさを味わってきたわけだが、今振り返ってみても、この三十年前の出来事は何という歴史的重大事だったことだろう。ブラジャーやガードルやコルセットやガーターベルトといった、不健康で窮屈でからだを締めつけるような衣服を脱ぎ捨てたことは、健康で美しい女性のからだをとりもどすラディカルな儀式だった。それがどんなに歴史的な大事件だったかを語っても、そんな不自由さを一度も味わったことがない今どきの若い女性たちは、ただそんなものなのかな、と思うかもしれないが。

この儀式は、女性たちが、その人生のあらゆる段階において心地よい衣服を身につけてよいということを、より深いレベルで確認するものだった。スカートでなくパンツをはいてもよいということだけでも、職場でいつも腰を曲げたり、かがんだりしなくてはならない多くの女性たちにとっては、画期的なことだった。ドレスを着たりスカートをはいたりするのが苦手な女性たちには、これはすばらしい改革だった。現在では、女性たちは子どもの頃から何でも着たいものを自由に着ることができるようになったために、こんなことは「些細なこと」と映るようになった。フェミニズムを支持する成人女性の多くが、きつくて履き心地の悪いハイヒールを履くのをやめた。こうした変化に、製靴業界も、踵の低い履き心地のよい靴をデザインするようになった。女性はいつでも化粧をしていなくてはならないとする性差別的な伝統によって強制されることがなくなり、女性たちは鏡を見て、ありのままの自分を目にすることを学んだ。

フェミニズム革命とそれによってもたらされた衣服によって女性たちが教わったことは、わたしたちの肉体は自然なままで愛や称賛に値する、ということである。その女性が、自らもっと着飾りたいと選択するのでないかぎり、何もつけ加えられる必要はないのだ。もともと、化粧品やファッションの業界の経営者や資本家たちは、フェミニズムが自分たちの商売を滅ぼしてしまうのではないかと恐れていた。そこで彼らは、女性解放運動にケチをつけるマスメディアの宣伝に金をつぎこみ、マスメディアは、フェミニストとはデブでブスで男まさりの中年女だ、というイメージをまき散らした。でも実際には、フェミニズム運動に参加した女性たちには、いろいろな体型やサイズの女性がいた。わたしたちはまったくもって、多様性にあふれていたのだ。しかも、そんなわたしたちの違いを、点数をつけたり勝ち負けを争ったりするのでなく自由に讃え合うことは、なんてすてきだったろう。

フェミニズムの初めの頃、活動家たちのなかには、ファッションや外見に関心をもつことそのものを放棄する者も多かった。こうした活動家たちはよく、かわいらしい女性的な衣服や化粧に興味を示す女性をきびしく批判した。だがわたしたちの多くは、選べることをすばらしいと感じていた。そして選ぶときに、わたしたちはふつう、着心地のよい楽な衣服を着る方向に向かった。美しさやスタイルへの愛を、楽さや着心地のよさだけと結びつけるような短絡的なことを、女性たちはけっしてしなかった。女性たちが要求しなければならなかったことは、ファッション産業（当時、ファッション産業は、完全に男性支配の世界だった）がさまざまなスタイルの衣服を作ることだった。女性雑誌も変わった（フェミニストたちは、女性の書き手がもっと増えることや、まじめなテーマもとりあげるよう要求した）。アメリカの歴史始まって以来、女性たちは初めて、自分たちの消費の力を知り、その力を使って積極的な変化を引き起こせると認識するようになった。

性差別的なファッション産業への挑戦にひきつづいて、女性たちは初めて、外見についての強迫観念が引き起こす悲劇的で生命の危険さえある問題について考え直す機会を手にした。とりあげられたのは、過食症や拒食症の問題だった。生命を脅かすこれらの摂食障害は、「見かけ」は正反対だが、根は同じなのだ。フェミニズム運動は、性差別的な医学界を動かして、こうした問題に注目するよう促した。最初のうち、医学界はフェミニズムからの批判を無視した。だが、フェミニストたちが健康センターを創って、女性の視点にたち女性のためになるようなヘルスケアの場を提供しはじめると、医薬産業は、ファッション業界がそうしたと同じように、方向転換した。つまり、消費者としてお金を使う圧倒的な数の女性たちが、女性のからだを尊重しより大きな安心と健康をもたらすヘルスケアの場を求める方向に向かっていることを、理解したのである。医薬業界がよい方向に変わりはじめ、女性のからだやヘルスケアに注意を向けるようになったことは、フェミニズム運動の直接的な成果である。医療について、また女性のからだについてきちんと考えるという点では、女性たちは今なお、病院や医薬業界に異議を申し立て、対決している。それはフェミニズムが、非常に多くの女性たち――フェミニズムに賛同する女性もしない女性も含めて――からの支持を受けている場の一つである。婦人科的な問題や、男性よりも女性に多い癌（なかでも乳がん）、最近では心臓病の問題などについては、女性たちの団結した力が発揮されているのを見ることができる。

摂食障害をなくすためのフェミニズムの闘いは、今なおつづく戦場である。というのも、年齢にかかわりなく、女性を、外見がどう見えるかで判断するというアメリカ社会の強迫観念は未だ完全にはなくなっていないからだ。それは今でも、わたしたちの文化的イメージを支配している。一九八〇年代前半には、多くの女性がフェミニズムから遠ざかった。女性たちはみな、フェミニズムがもたらした利益を手にしたが、他方では、より多くの女性たちが新しい形をとった性差別的な美の概念を受け入れていった。その頃、フェミニズム運動が始まったときに二十代だった女性たちは、四十代から五十代になっていた。フェミニズムが女性のからだの見方を変えたことで、女性が年をとることは以前よりはよい体験と見なされるようになってはいたが、家父長主義的な社会で年をとることの現実、とりわけ、もう生物学的に子どもを産めないという事実に直面したとき、多くの女性たちは、女性美についての古臭い性差別的な考えが新しい形で登場することを受け入れてしまったのだった。

今日、アメリカでは、かつてないほど多くの四十歳を過ぎた異性愛女性が独身である。そうした女性たちのなかには、男性の獲得をめぐって若い女性（その多くは、現在も、将来的にもフェミニストではない）と競争するはめになり、女性美についての性差別的な表現を競い合う者もいる。性差別的な美の基準を再びもてはやすことが、白人を美の基準とする資本主義的で家父長主義的なファッション産業や化粧品メーカーの利益にかなっていることはまちがいない。マスメディアも右へならえだ。映画やテレビ、広告などでは、食事にありつくためなら殺人でもしかねないほどガリガリにやせた偽ブロンドの女性が、美の基準となっている。まるでフェミニズムへの復讐のように、女性美の性差別的なイメージが再びのさばり、フェミニズムの進歩的な成果の多くをなきものにしようとしているのだ。

生命さえ奪いかねない摂食障害が広がっている恐ろしさについて、アメリカの女性たちは、かつてないほどよく承知している。それなのに、悲劇的なことには、ごく若い女性からすごく年取った女性まで、女性たちはやせようと必死になっているのだ。拒食症の問題は、本や映画などあちこちでとりあげられるテーマになっている。だが、自分の値打ちや美しさや本質的な価値が、やせているかどうかで決まるのだと信じている女性を思い止まらせるような真剣な警告はなされていない。近頃のファッション雑誌は、一方で拒食症の危険性についての記事を載せながら、他方で、これこそが美しく魅力的な若い身体なのだというイメージをこれでもかこれでもかと読者に押しつける。フェミニズムを知らない女性たちを混乱させるこうしたメッセージほど、危険なものはない。それでも最近では、再び、女性のからだの自然な美しさを肯定しようとするフェミニズムの取り組みが起こってきている。

現代の若い女性たちは、自分のからだについて、フェミニズム以前の女性たちがそうだったように、自己嫌悪の固まりである。フェミニズム運動はたくさんのフェミニズム雑誌を生み出したが、これまでとは違う女性の美しさを見せてくれるフェミニズム的なファッション雑誌はまだない。性差別的なイメージを批判しながら、それとは違うイメージを提案しないなら、取り組みは完全とはいえない。今あるものを批判するだけでは真の変化にはつながらないからだ。実際、美にたいするフェミニズムの批判の多くは、健康的でのびやかな選択とはどんなものかについて、女性たちを混乱させてきた。わたし自身、いままでの人生で体験したことがないほど体重が増えてきた中年女性として、からだへの性差別的な自己嫌悪をもたずに体重を減らしたいと思っている。最近のファッション産業、とりわけ消費者向けのファッションを見ると、やせた少女のようなからだのためにだけデザインされたような服が主流になっている。そうしたなかで、女性は、老いも若きも、また意識するにしろしないにしろ、自分の体型について不安感を抱き、自分の肉体を問題視するように社会化されているのだ。なかにはあらゆるサイズ、あらゆる体型の女性のために美しい服を提供してくれる店もあって、それは幸運なことだが、こうした服はファッション産業が一般の人向けに売っている安い服よりもかなり高価である。近頃のファッション雑誌は、どんどん昔に戻っている。書き手にも男性が増えている。フェミニズムの視点やフェミニズム的な内容をもった記事はほとんど見当たらない。ファッション写真やイラストも、性差別的な感性を前面に押し出したものが多い。

女性美をめぐってこのような変化が起こっていることは、まだあまり問題にされていない。というのも、三十年前、作られた女性美に反対の声をあげたフェミニスト女性たちは今では大人の女性となり、自分たちは選択の自由を楽しんだり、健康的で独特な美のモデルを追求したりできるからである。だが、美についての性差別的な基準をなくす闘いをやめてしまえば、あるがままの自分と自分のからだを祝福し愛することを可能にしたフェミニズムのすばらしい成果の一切をも、失ってしまう恐れがある。女性たちはみな、女性美についての性差別的な基準を受け入れることの問題性と危険性に、以前よりは気づき始めている。とはいえ、わたしたちは、こうした危険をなくすために十分なことをしているとはいえない——つまり、新しい美のイメージを創りだしてはいないのである。

フェミニズムが、ありとあらゆる美容・ファッション産業に注ぎ込まれる性差別的な感性を前にただ手をこまねいているなら、フェミニズムは美しさや着飾ることの価値を認めているというメッセージが、若い女性や少女たちに伝わることはないだろう。心の狭いフェミニストが美を求める女性の思いを否定したことは、フェミニズムへの支持をせばめてしまった。美を否定するようなフェミニストは実際にはむしろ稀《まれ》なのだが、マスメディアは、それがフェミニズムの考え方だと宣伝している。フェミニズムが再び、美容やファッション産業に目を向け、今なお進行中で未完成の美の革命に取り組まないなら、わたしたちは自由になれないだろう。そして、自分そのものである自分のからだを、愛するすべを知らないままだろう。

7　フェミニズムの階級闘争

階級と階級による女性の分断の問題は、人種の問題よりずっと以前から、フェミニズム運動に参加した女性たちの議論の的になっていた。女性解放運動が始まったとき、参加者のほとんどは白人であり、そこでいちばん際立った分断は階級による分断だった。労働者階級の白人女性たちは、運動のなかに、階級差が存在していることに気づいていた。対立が起こったのは、基本的に現在の階級構造の枠内で女性の平等な権利の獲得を求める女性解放の改良主義的なヴィジョンと、現在の構造の根本的な変化を求め、古い社会のしくみに代えて相互扶助と平等の理想を追求しようとするよりラディカルな、あるいは革命的なヴィジョンとのあいだでだった。しかし、フェミニズム運動が進展し、特権をもった高学歴の白人女性の集団が、特権階級の男性と平等に権力を手にするチャンスを得るようになると、フェミニズムにとって、階級闘争はもはや重要なものとは見なされなくなった。

フェミニズム運動の当初から、特権階級に属する女性たちは、自分たちの関心事を「普遍的なフェミニズムの問題」とし、そこに注目を集めることができたが、それは、そういう女性たちが世間の耳目を集める女性の集団だったからでもあった。マスメディアの注目は常に、特権階級の女性たちに集まった。労働者階級の女性や大多数の女性たちと密接に関係するような問題を、主流マスメディアはけっして取りあげようとはしなかった。ベティ・フリーダンの『女らしさの神話』[*1]は、現状に不満をもつ女性たちが、主婦として家庭内に閉じ込められ夫に従属していると感じていることを、「名前のない問題」と名づけた。この問題は女性の危機だと主張されたが、実際には、それはごく少数の集団である高学歴の白人女性の危機にすぎなかった。特権階級の女性たちが、家庭に閉じ込められることの危険性について不満を述べていたとき、アメリカの圧倒的多数の女性たちは家の外で仕事に就いていた。しかも、働く女性の多くは、低賃金で長時間働きながら同時に家事もこなしていたから、こうした働く女性たちにとっては、家にいる権利こそが「自由」そのものに見えた。

特権をもった女性たちを、それが白人であろうと黒人であろうと、家の外で働くことから遠ざけていたものは、ジェンダーによる差別や性差別的な抑圧ではなかった。それは、特権階級の女性たちが就ける仕事が、すべての労働者階級女性に用意されているのと同じく、低賃金の単純労働でしかないという事実だった。高学歴女性のエリート集団は、大多数の下層中流階級や労働者階級の女性たちがやっているようなタイプの仕事をやるよりはむしろ、家にいたのである。時には、特権階級の少数の女性が、世間一般の慣習を破って家の外で働いたが、その多くは、教育で獲得した能力以下の仕事をし、しかも、夫や家族の反対にあった。こうした、女性が外で働くことへの反対が、特権階級の女性が家の外で働くという問題をジェンダーによる差別の問題に転化したのであり、家父長主義に反対し同じ階級の男性と平等の権利を求めることを政治目標とさせたのだ。そして、こうした政治目標のために選ばれたのは、階級闘争ではなく、フェミニズムだったのである。

当初から、階級的特権をもった改良主義の白人女性は、自分たちが望んでいる権力と自由とは、自分と同じ階級の男性たちが謳歌しているはずの自由であることを、よく承知していた。特権階級の女性たちは家庭での家父長主義的な男性支配に抵抗することで、男性支配にうんざりしていた他の女性たちと、階級の壁を越えて団結するのに使える関係を手にすることができた。だが、家の外で働けば経済的自立が可能となるだけの収入が実際に手に入ると考える贅沢《ぜいたく》が許されていたのは、特権階級の女性だけだった。労働者階級の女性たちには、すでに、受け取る給料では自立などできないことがわかっていたからである。

改良主義のフェミニストたちは、特権をもった集団に属する女性たちのために、女性労働者の賃金を上げ仕事の上でジェンダーによる差別や嫌がらせを受けないよう、職場を変える努力をしたが、このことは、すべての女性の生活によい影響を与えた。この獲得物は重要である。だが、特権をもった女性が階級的な力を手にする一方で、圧倒的多数の女性たちがいまだに男性と平等な賃金を得ていないという事実は、同一労働にたいして女性が同一賃金を受け取れるよう職場を変えるフェミニズムの努力よりも、階級的利害が勝っているさまを示している。

フェミニズム運動のなかで、当初から階級の問題を取りあげて意見を述べたフェミニストの本には、レズビアンのフェミニストのものが多く見られる。レズビアン・フェミニストは、夫に養ってもらおうと考えたことのない女性たちの集団だった。そしてしばしば、レズビアンでない女性よりも、すべての女性が職場で直面する困難に気づいていた。一九七〇年代半ばに出版されたシャーロット・バンチとナンシー・マイロン編の『階級とフェミニズム』のような本には、フェミニズム運動のなかで階級の問題と取り組んださまざまな階級出身の女性たちが書いた論文が集められている。どの論文も、階級の問題が単なるお金の問題ではないことを強調している。リタ・メイ・ブラウン[*2]（この当時はまだ有名な作家ではなかった）は、こんなふうにはっきり言っている。

階級とは、マルクスが定義したような「生産手段との関係」をはるかに超えたものである。階級は、その人の態度や物の見方、その人が受けた躾《しつけ》、自分自身や他人からどう見られるか、将来の展望、問題の理解と解決法、さらには、その人がどう考え、感じ、行動するかといった、すべてに関わるものなのだ。

フェミニズムに参加したこれらの女性たちはさまざまな階級の出身だったが、階級の問題と対決しないかぎり、すべての女性が家父長主義と闘うために団結するという政治的な理念としてのシスターフッドは実現しえないと、早くから見抜いていた人たちだった。

階級の問題がフェミニズムの課題となったことで、階級と人種がどのように相互作用しあっているかも明らかになる余地が開けた。黒人女性は、わたしたちの社会の制度化された人種と性と階級の社会システムのなかで、明らかに経済的な階層のトーテムポールの最底辺にいた。ただ当初は、黒人女性よりも、労働者階級出身で高学歴の白人女性が、フェミニズム運動のなかでは目立つ存在だった。労働者階級出身の女性は、フェミニズム運動のなかでは少数派だったが、体験からくる発言力をもっていた。人種や階級やジェンダーの差別と闘うときにどんな犠牲を覚悟しなくてはならないか、特権階級出身のフェミニズム活動家よりもよく知っていた。労働者階級出身のフェミニストたちには、経済状態を変えるための闘いがどんなものなのか、わかっていたのだ。労働者階級出身のフェミニストたちと、特権階級のフェミニストたちとのあいだには、どのような行動をとるべきか、また、どの問題をフェミニズムの基本的な関心事として取りあげるかをめぐって、つねに対立があった。それまで左翼的な闘争に関わったことのない特権階級出身の女性たちは、フェミニズム運動のなかで、特権階級でない女性たちからの異議申し立てに直面して、階級闘争の具体的な政治学を学んだ。あるいはまた、その過程のなかで、自己主張の仕方や対立を解決する建設的な方法も身につけていった。前向きの努力もあったが、特権階級の白人女性たちの多くは、あたかもフェミニズムが自分たちの所有物であり、自分たちこそフェミニズムを代表しているとでもいうような行動をとりつづけた。

社会の主流をなす家父長主義も、特権階級に属する女性たちの主張こそ注目に値する唯一のものである、という考えを援護射撃した。改良主義のフェミニズムは、今ある社会構造の枠内で、女性が社会的平等を手にすることをめざした。特権階級の女性たちが求めたのは、特権階級の男性との平等だった。特権階級内部での性差別にもかかわらず、特権階級の女性たちは、労働者階級の男性と運命を共にしたいとは考えもしなかった。女性が自分と同じ階級の男性との社会的平等を手にすることを認めよ、というフェミニズムの要求は、白人でない人々が平等に経済力や特権を手にすれば白人の力が削《そ》がれてしまうのではないかという、白人中心主義の資本主義的家父長制の不安と、見事なまでに合致したのである。事実上は白人権力の強化を支えることで、改良主義のフェミニストたちは、一方では主流の白人中心主義の家父長制がその力を維持することを可能にし、他方では、フェミニズムのラディカルな政治を弱めたのである。

フェミニズム運動のこうした共謀にたいして、怒りを表明したのは革命派のフェミニストだけだった。わたしたちの批判と怒りは、主流派とは一線を画した出版社からの声となった。ラディカルな白人フェミニズム活動家のメアリー・バーフットはその論文集『黒人殺しの時代[*3]』のなかで、果敢にもこう言い切っている。

白人女性のなかにも、傷つき怒っている者もいる。七〇年代のフェミニズム運動はシスターフッドをめざしたと信じていたのに、上昇志向の女性たちに裏切られたのだ。家

> 父長主義の家庭にいそいそと帰っていった女たちに。だが、女性運動は家父長的なディック父さんの元を離れたことなどなかった。（…）戦いなどなかったのだ。そして、解放も。わたしたちは殺戮《さつりく》の利益の分け前を手にし、それを喜んでいる。わたしたちは家父長制の姉妹であり、国家支配と階級抑圧の支持者なのだ。家父長制の最高の形態は世界中で展開しているヨーロッパ帝国主義なのだから。もしわたしたちがディックの姉妹であり、彼が手にしているものを欲しがっているなら、わたしたちは、結局は、彼がみんなから奪い尽くしてきたシステムを支持していることになるのだ。

実際、より多くのフェミニストたちが、今も昔も感じているのは、階級的なエリート主義を脱却することに比べれば、白人中心主義を脱却することの方がまだ簡単だということである。

特権階級の女性たちが同じ階級の男性と同等の経済力を手にできるようになると、階級の問題をめぐる議論は、フェミニズムのなかではもう聞かれなくなった。その代わりに、女性たちは、裕福な女性が経済的な獲得物を手にしたことはすべての女性にとってすばらしい出来事である、と思うように仕向けられた。ただ現実には、そうした獲得物が、貧しい女性や労働者階級の女性の運命を変えることはほとんどなかった。しかも、特権階級の男性は家庭で家事を平等に分担することはなかったから、白人であれ黒人であれ、特権階級女性が自由を手にするためには、労働者階級女性や貧しい女性がひきつづき従属的な地位にいることが必要だった。一九九〇年代、「女性の解放」は現存する社会構造との共謀が代償だった。ことが終わってみれば、階級的な権力の方がフェミニズムよりも重要だったというわけだ。そして、この共謀はフェミニズム運動の変質に手を貸したのである。

女性が、男性と何も変わるところのないまま、より大きな階級的地位と権力を手にしたとき、フェミニズムの意味は失われた。たくさんの女性たちが、裏切られたと感じた。フェミニズムに鼓舞されて、突然、労働市場に参加するようになった中流または下層中流の階級に属する女性たちは、女性が家の外で働いたからといって男性のパートナーが家事を平等に分担するわけではないという厳しい現実に直面して、もはや解放されたとは感じなくなった。「破綻主義」にもとづく離婚は、女性よりも男性に経済的利益をもたらすこともはっきりした。多くの黒人女性や有色の女性たちが目にしたのは、白人の特権階級女性が、改良主義的なフェミニストの改革や、人種に加えてジェンダーでもとられたアファーマティブ・アクションから、他の人種の女性よりも大きな経済的利益を得たことだった。それを目にしたとき、黒人や有色の女性たちは再び、フェミニズムとは本当は白人の力を強めようという運動ではないのかという不信感を抱いたのだった。フェミニズム問題での最大の裏切りは、政府がシングルマザーを目の敵にして福祉システムを改悪したことにたいして、大衆的なフェミニズムの抗議行動を起こさなかったことだ。フェミニストを自称する多くの特権階級女性たちは、こうした「貧困の女性化[*4]」には背を向けたのだった。

「パワー・フェミニズム」の主張は大きくマスメディアにとりあげられているのに、階級的権力を手にしながら、階級的特権をもたない女性たちとの連帯を裏切るまいと努力している個々のフェミニストの声はなかなかとりあげられない。フェミニズムの思想に忠実なら、経済的自立を果たすとともに、他の女性が経済的に向上するのを援助する方法を見つけることこそ、昔も今も変わらないわたしたちの目標である。女性は現在の資本主義的家父長制と共謀して行動することによってのみ経済的利益を得ることができる、という考えは、わたしたちの体験からして誤りである。階級的権力を手にするとともに、社会変革のラディカルな理想を支持するフェミニスト女性たちは、今、アメリカ中で、自分たちのもつ資源を共有し、自分たちのもつ権力をあらゆる階級の女性の生活を向上させる改革を推し進めるために使っているのだ。

フェミニズムの願う真の解放は、階級的エリート主義に反対する社会変革の理念とともにある。西洋の女性たちは、階級的な力とより大きなジェンダー的平等を手にしたが、それは、世界的な白人優位主義的な家父長制が、圧倒的多数の第三世界女性を搾取し抑圧しているからである。アメリカでは、働かざるもの食うべからず式の新保守主義的な福祉政策が登場し、刑務所が増設の一途をたどり、さらには保守的な移民政策が推進された結果、前借り金にしばられた搾取的な奴隷労働が横行するにいたっている。福祉の廃止によって、現在の支配構造のもとで虐待され搾取される女性や子どもという新たな被抑圧階級がつくり出されているのだ。

階級をめぐる現実が変化し、貧富の格差が拡大し、貧困な女性がますます増えているとき、わたしたちは大衆的でラディカルなフェミニズム運動を切実に必要としている。その運動は、改良によって得られた獲得物をはじめとする過去の運動の力強い展開のうえにたちながら、同時に、今のフェミニズム理論の誤りについて疑問を提起し、新しい運動の方法を提案するような運動である。重要なのは、将来の運動は、労働者階級女性や貧しい女性の具体的な状況にその運動の基礎を置くだろうということだ。そこで、批判的な意識のための教育から運動を始めなくてはならない。そして、女性たち、とりわけ階級的に力をもったフェミニストたちは、運動のなかで、女性にも買える低所得者向け住宅を創る必要がある。フェミニズム的な原則をもった住宅のための協同組合を創ることは、フェミニズムがすべての女性の人生に関わっていることを示すものとなるだろう。

階級的に力をもった女性たちが、ご都合主義的にフェミニズムの用語を使いながら、フェミニズムの思想を裏切って、結局は再び女性たちを従属させようとする家父長主義的なシステムの維持に手を貸すとき、彼女たちは、ただフェミニズムを裏切っているだけでなく、自分たち自身を裏切っているのである。階級についての討論を復活させることで、フェミニストの女性と男性は連帯のための条件を再び手にする。そうすれば、わたしたちは、資源が共有され、階級を問わずだれもが個人として成長の機会に恵まれるような世界を心に描くことができるようになるだろう。

訳注

＊1 *The Feminine Mystique*, Betty Friedan, 1963.（邦題『新しい女性の創造』三浦冨美子訳、大和書房、一九六五年）

＊2 Rita Mae Brown（1944～）アメリカのレズビアン小説家、詩人。主要作品に『森で昼寝する猫』（茅律子訳、早川書房、二〇〇一年）など。

＊3 *Bottomfish Bulues: The Coming of Black Genocide and Other Essays*, Mary Barfoot, 1993.

＊4 「第三世界」の女性の多くが貧困層にあり、また欧米でもマイノリティ女性やシングルマザーなど不利な条件をかかえた女性たちが貧困に直面する状況が増えている。このことを表現して、アメリカの社会学者ダイアナ・ピアスが「貧困の女性化」と名づけた。

8 グローバル・フェミニズム

自由を求めて闘う女性たちは、世界中で、それぞれ別個に、家父長主義や男性支配と闘ってきた。この地球上に最初に出現した人間は白人ではなかったのだから、白人女性が男性支配に抵抗した最初の女性であるとは考えにくい。白人至上主義的で資本主義的で家父長主義的な西洋文化において、多くの文化的な実践には、新植民地主義的な考え方がつきまとっている。そうした考え方がつねに重要視するのは、だれが土地を征服し、物を所有し、人々を支配する権利をもってきたかということである。こうした新植民地主義的な考え方にたいして、現代フェミニズム運動は、ラディカルな回答として存在してきたとは言えない。*1

特権階級の白人女性たちは、あっという間に運動の「所有権」を宣言し、労働者階級の白人女性や貧しい白人女性、すべての有色の女性たちを従者の地位においた。どれほど多くの労働者階級の白人女性や個々の黒人女性が女性運動の先頭にたち、運動をラディカルな方向に向けようとしたかなどは問題ではなかった。やがて、階級的権力をもった白人女性は、運動は自分たちのものだと宣言した。自分たちこそリーダーで、あとの女性たちはただ従っていればいいと決めつけたのである。現存する階級関係に依拠したこうした考え方が、人種や国籍の問題、そして現代の新植民地主義下のジェンダーの問題に影を落とした。そして、フェミニズムは、そうした諸問題と無関係に存在したわけではなかったのである。

そもそも、アメリカ合州国のフェミニズムの指導者たちが、この国でのジェンダーの平等の必要性を表明したとき、彼女たちは、世界中の女性のあいだで、同じような運動が起こっているかどうか見ようとは考えなかった。そうする代わりに、自分たちは解放された女性であり、それゆえに、より恵まれない、とりわけ「第三世界」の姉妹たちを解放すべき位置にいると宣言したのである。この新植民地主義的で保護者然とした態度によって、保守的で自由主義的な白人女性は、有色の女性たちを背後におしやり、その結果、自分たちだけがフェミニズムの正統な代表となったのだった。ラディカルな白人女性はフェミニズムの「代表」とは見なされず、その主張が紹介される場合には、考えの偏った特殊なフェミニズムであるとされた。そうした流れを受けて、一九九〇年代には、「パワー・フェミニズム」の名のもとに、裕福な白人の異性愛女性がフェミニズムの成功例としてとりあげられたのである。

平等についてのフェミニズムの論理が、保守的で自由主義的な白人女性の主張に牛耳られた結果、彼女たちが事実上、白人至上主義的で資本主義的な家父長制における支配階級に忠誠を誓ったことは覆い隠されてしまった。ラディカルなフェミニストたちが驚いたことに、大変多くの女性たち（人種を問わず）が、フェミニズムの用語を口にしながら、西洋帝国主義と多国籍資本主義に手を貸しつづけた。アメリカ合州国のフェミニストが、世界中の女性の平等が必要だと訴えたのは正しかった。問題だったのは、階級的な権力をもったフェミニストたちが、世界中の女性問題について帝国主義的な観点から勝手な考えをめぐらしたことだった。なかでも問題だったのは、アメリカ合州国の女性は、地球上のどんな女性たちよりも権利を手にしており、そう望むならば「自由」であり、それゆえ、フェミニスト運動を指導し、世界中の他の国の女性たち、とりわけ第三世界の女性たちのフェミニズムの課題を決める権利をもっているという帝国主義的な考えだった。このような考えは、西洋の男性の支配者集団がもっている帝国主義的で人種差別的な、そしてまた性差別的な考えを単になぞったものにすぎなかった。

アメリカ合州国のほとんどの女性たちは、植民地主義とか新植民地主義といった言葉を知りもしなければ、使うこともない。ほとんどのアメリカ女性、とくに白人女性は、この社会で力をもっていない集団に属する女性や世界中の大多数の女性にたいして、人種差別や性差別や階級的エリート主義の意識をもっており、その点で植民地主義的な考えを脱却しているとは言えないのである。問題に目覚めていないフェミニストが、世界中で起こっているジェンダーによる搾取や抑圧の問題をとりあげるとき、その観点は、かつても、そして今なお、新植民地主義的である。ラディカルな白人女性たちが『闇を照らす光――新植民地主義における戦争と階級』[*2]で、「新植民地主義について理解しなければ、現在を十分に生きているとは言えない」という現実を強調していることは注目に値する。新植民地主義への批判的視点がない白人のフェミニストたちは、アメリカ人として生きていることは、昔も今も、帝国主義的で白人至上主義で資本主義的な家父長制と手を携えて行動していることだという点を見てこなかった。それゆえ、そうした認識を揺るがすためには、黒人女性や有色女性や白人のラディカルな姉妹たちの繰り返しの抗議や抵抗が必要だったのである。

多くのフェミニズムの活動家が人種やジェンダーや階級や国籍の視点をもつようになった後も、「パワー・フェミニズム」を信奉する白人のフェミニストたちが掲げるフェミニズムのイメージは、女性の平等を帝国主義と結びつけるようなものだった。強制的な女性性器切除やタイの買売春クラブやアフリカやインドや中東やヨーロッパでの女性のヴェールや中国での女児殺しといった世界の女性の問題は、今なお重要な関心事としてある。だが、西洋のフェミニズムにおいて、こうした問題が西洋帝国主義を強化しないようなやり方でとりあげられるよう、フェミニズムの思想と実践を植民地主義的な発想から脱却させるための闘いは、いまなお続いている。多くの西洋人女性が、黒人であれ白人であれ、アフリカや中東での女性性器切除の問題にどう相対してきたかを、考えてみるがいい。これらの国々はいつも「野蛮で文明の遅れた」国として描かれ、そこでの性差別は、アメリカ合州国での性差別よりも野蛮で危険なものとして描かれているのだ。

　植民地主義を脱却したフェミニズムの視点とは、まずもって、世界中で女性のからだに関して起こっている性差別的な事態を関連させて考えることである。たとえば、女性性器切除の問題と、生命の危険をもともなう摂食障害の問題（これは、やせていることが美の理想であるとする文化の直接的な結果である）やその他の危険な美容整形手術の問題を関連させて考えてみれば、世界中で行われている女性性器切除の基にある性差別や女性憎悪が、アメリカにおける性差別と似たものであることが明らかになる。このような問題のとりあげ方をすれば、西洋帝国主義の手先にならずにすむ。そしてフェミニズムも、他の文化圏に暮らす女性たちが買うために必死になるべき「西洋女性の贅沢品」と化して多国籍資本主義にかすめとられずにすむだろう。

　アメリカ合州国のラディカルな女性たちが、階級的上昇志向をみたすためにフェミニズムを利用する女性たちの集団に反対しなければ、西洋におけるグローバル・フェミニズムは、旧態依然たる偏見をもった階級的に強力な女性たちによって標榜されつづけるだろう。世界中のラディカルなフェミニズム運動によって、人種や民族や国籍の壁を超えた女性たちの政治的連帯は、日々、強まっている。主流マスメディアは、こうしたすばらしい交流をほとんどとりあげない。『憎悪──21世紀における人種的・性的な対立』[*3]のなかで、ジラー・エイゼンシュタインもこう述べている。

国境を超える《トランスナショナル》フェミニズム（ズ）――それは、人種やジェンダーといった不正な境界や不当に作られた「他者」を、拒絶するものとしてイメージされる――は、男性的で攻撃的な国家主義や、国家による抑圧的な社会主義の歪みや、あるいはまた、「自由」市場的グローバリズムへのもっとも強力な異議申し立てである。それは、北と南、西洋と東洋のあいだの対話を通して、そしてまたそういった分断そのものを超えることを通して形作られる、ひとりひとりの人間の多様性や自由や平等を認めるフェミニズムなのである。

フェミニズム運動が世界中で拡大していることを目の当たりにするとき、自由を手にするための女性たちの行動の重要性は、だれも否定できないだろう。西洋の女性たち、とりわけアメリカ合州国の女性たちが、こうした闘いのために必要な貢献をしたこと、また、もっとする必要があることも、否定できないだろう。グローバルなフェミニズムの目標は、性差別をなくし、性差別的な搾取や抑圧をなくす世界中の闘いと手を結び、その輪に加わることなのである。

訳注

＊1　近代以降おしすすめられてきたヨーロッパをはじめとする列強による世界の植民地化は、第二次

世界大戦以後、植民地が次々と解放されるなかで様相を一変し、領域的な植民地はほとんど姿を消した。だが、政治的独立後も、旧宗主国との軍事的・政治的同盟関係に組み入れられたり、経済的従属関係が維持されたりしているケースが多い。こうした状況を指して「新植民地主義」と呼んでいる。

＊2 *Night-Vision: Illuminating War and Class on the Neo-Colonial Terrain*, Butch Lee and Red Rover, 1993.

＊3 *Hatreds: Racialized and Sexualized Conflicts in the 21st Century*, Zillah Eisenstein, 1996.

9　働く女性たち

アメリカ合州国の全女性の半数以上は、職場で働いている。フェミニズム運動が始まったとき、職に就いて働いている女性はすでに、全女性の三分の一以上にのぼっていた。わたしはアフリカ系アメリカ人の労働者階級の家に生まれたが、そこでは、周りの女性のほとんどは職に就いていた。だからわたしは、運動が始まり、改良主義のフェミニストたちが「仕事こそ男性支配から女性を解放する」と主張したとき、その考えを痛烈に批判したのである。今から十年あまり前、わたしは、『フェミニズム理論——周縁から中心へ』でこう書いた。「仕事こそ女性解放の鍵を握るものだと強調したことで、多くの白人フェミニストたちは、働いている女性は『すでに解放されている』と言ったに等しい。その結果、白人フェミニストたちは、大多数の働く女性に『フェミニズム運動はあなたたちには関係がない』と告げていたことになるのだ」と。重要なのは、わたしが、自分自身の体験から、低賃金で働くことは貧しい女性や労働者階級の女性を男性支配から解放しないと知っていたことである。

　自分と同じ階級の男性との社会的平等を得ることを主要な課題としていた特権階級出身の改良主義的なフェミニストたちが、「仕事」を「解放」と同一視したとき、彼女たちが考えていた「仕事」とは、高給専門職のことだった。仕事についての彼女たちの考えは、大多数の女性たちとは無縁だった。仕事についてフェミニズムが強調し、すべての女性に影響があったのは、同一労働同一賃金の要求だった。これは重要なことだ。フェミニズムが抗議した結果、女性たちは、給料や地位に関わる権利を以前よりも手にしたが、それでジェンダーの差別がまったくなくなったわけではなかった。現在、多くの大学の教室で、学生たちは男女を問わず、女性は今や平等になったのだからフェミニズムはもう意味がないと言う。だが、学生たちがまったく知らないのは、平均すれば、ほとんどの女性はいまだに同じ労働にたいして同じ額の賃金をもらっておらず、男性が一ドルもらうときに女性は七十三セントしかもらっていない、ということである。

　仕事は女性を男性支配から解放しないことを、今ではわたしたちは知っている。実際、高給取りの専門職女性や金持ちの女性で、男性支配を受け入れながら男性と一緒にいる女性たちは多い。女性が経済的自活の手段をもてば、解放されたいと思えば、男性支配的な関係から離れやすくなることは、たしかだろう。女性が離れられるのは、それが可能なときだからだ。多くの女性たちがフェミニズムの考えにふれ、解放されたいと思うものの、家父長主義的な男性と経済的に結びついているため、離れることがまったく不可能ではないにしても、困難なことが多いのだ。フェミニズム運動が始まったころにはわたしたちの何人かが知っていたにすぎないことを、今ではほとんどの女性が知っている。それは、仕事は必ずしも女性を解放しないということであり、他方、この事実は、女性が解放されたいなら経済的自活は必要だという現実を変えはしないということ、である。そこでわたしたちは、解放にとって必要なものとして、「仕事」ではなく「経済的な自活」について語ることになる。さらに、次のステップで語られるのは、いったいどんなタイプの仕事が解放的なのか、ということである。明らかに、労働者に最大の自由を提供するのは、時間的に楽で賃金もよい仕事だろう。

多くの女性たちが怒っているのは、フェミニズムに励まされたせいで、仕事に就けば解放されると信じてしまったからである。気がつけば、女性たちはほとんどの場合、家で長時間働いた上に、職場でも長時間働いている。フェミニズム運動が女性に家の外で働くのはよいことだと感じさせる以前から、不況化した経済はすでにこうした変化を承認していた。もしフェミニズム運動がまったく起こっていなかったとしても、それでも圧倒的多数の女性たちが労働力に参入していただろう。だが、もしフェミニズムがジェンダー差別に異議を申し立てなかったら、わたしたちが今持っているような権利を手にしていたとは考えにくい。だから、女性たちが、働かなくてはならなくなったことをフェミニズムのせいにして「文句を言う」のはまちがっているのだが、そう思っている女性は多い。真実を見るなら、より多くの女性を労働力化したものは、消費主義的資本主義なのだ。経済不況によって、白人中流家庭は、かつては専業主婦になることだけを夢見ていた女性たちが家の外で働く選択をしなければ、階級的地位や生活水準を維持できなくなってしまったのである。

フェミニスト学者たちは、職に就くことで圧倒的多数の女性たちが得た利益とは、自己評価の向上や社会への積極的な参加であると述べている。どんな階級であれ、専業主婦として家にいる女性はしばしば孤立し、孤独で、気持ちが落ち込む。男性であれ女性であれ、ほとんどの労働者が職場で安心だというわけではないが、自分自身より大きな何かに属していると感じているのはたしかだろう。家庭の問題はより大きなストレスを生み、解決も困難なのにたいして、職場での問題はみんなと共有でき、解決策も自分だけで見つけなくてはならないわけではない。男性がほとんどの仕事をしていたとき、女性の仕事は家庭を、男性にとって居心地のよいリラックスできる場にすることだった。女性にとって家庭がリラックスできる場になるのは、男性や子どもがいないときだけだ。家にいる女性は、すべての時間を他人の必要に応えるために費やすので、家庭は女性にとっては仕事の場であり、楽しく居心地のよい、リラックスできる場ではなかったのである。だから、家の外で働くことでいちばん解放感を味わうのは、独身女性（異性愛にしろ、そうでないにしろ、そのほとんどは独り暮らしをしている）だろう。女性のほとんどは、満足できる仕事を見つけることができず、仕事に就くことで、家庭生活の質を低下させてしまった。

かつてはまったく職に就けなかったり、なかなかよい職には就けなかった高学歴の特権を持った女性たちの一団は、職業上の差別にフェミニズムが引き起こした変化によって、経済的自活の土台となるような満足ゆく仕事に就くチャンスを手にした。だが、こうした成功が圧倒的多数の女性たちの運命を変えることはなかった。何年もまえに、わたしは『フェミニズム理論――周縁から中心へ』でこう書いた。

もしも、女性の働く環境の改善をフェミニズムの中心課題とし、それと結合して、女性がよりよい賃金の職に就けるよう努力したり、すべての階級の失業女性に職を見つける運動をしていたら、フェミニズムは全女性の関心事にとりくむ運動であると見なされただろう。だがフェミニズムは、キャリア至上主義にたって、女性が高給専門職に就くことに焦点を当て、その結果、圧倒的多数の女性たちをフェミニズム運動から遠ざけてしまった。それればかりでなく、フェミニズムの活動家たちは、キャリア至上主義に陥ることで、ブルジョア女性が多数職場進出することは集団としての女性が経済力を得た証しではない、という事実を無視した。もしフェミニストたちが、貧しい女性や労働者階級の女性たちの経済状態を見たなら、女性の失業が増え、すべての階級の女性が貧困層に加わりつつあることに気づいたはずなのだ。

貧困は、女性問題の中心テーマとなった。白人至上主義的で資本主義的な家父長制が企んでいるこの国の福祉システムの破壊によって、貧しい女性たちは、もっとも基本的な生活必需品である住居と食料さえ奪われようとしている。実際のところ、保守政治家が女性たちに提案する解決策とは、男性を稼ぎ手とする、男性支配的で家父長主義的な家庭への回帰である。しかも、そうした保守政治家たちは、男性にも女性にも失業者が大量に出ており、仕事はそう簡単に見つからないという現実に目をつぶり、さらには男性の多くが、たとえ稼ぎがあっても女性や子どもを経済的に養おうとはしない事実を無視しているのだ。

フェミニズムも女性に出口を指し示していない――すなわち、仕事について考え直すことを提案してはいないのである。わたしたちの社会では生活コストが高いので、仕事は多くの労働者を経済的自活に導いてはくれないが、それは女性も例外ではない。それでもなお、すべての女性が男性支配に抗して生きる自由を手にしたり、自分の人生を生きたいように生きようと思うなら、経済的に自活することは必要である。

大きな意味での経済的自活への道は、白人至上主義的で資本主義的で家父長主義的なマスメディアが示す「良い生活」のイメージとは正反対の、それとは違うライフスタイルに必然的に、つながっている。生活に必要な賃金を手にしつつ、自分らしい人生を幸せに生き、誇りや自尊心の持てる仕事をするためには、仕事をシェアするプログラムが必要だ。教師やあらゆる職種のサービス労働者は、もっと多く支払われる必要がある。家にいて子どもを育てたいと思う男性と女性には、国が代わって給料を支払うと同時に、高校卒業の資格やそれ以上の学位を在宅でとれるような在宅教育プログラムができるべきだ。最新のテクノロジーを使って、家にいたい個人には、遠隔で大学の授業を見ることができ、それに加えて一定期間だけ実際の教室に出席するような形での学習が可能になるべきだ。政府が、軍備ではなく福祉をこそ最優先にし、仕事が見つからないときには、一、二年のあいだ、すべての市民が合法的に国の援助金を受け取れるようにすれば、福祉の援助を受けることで後ろめたく感じ心に傷を負うようなことはなくなるだろう。男性も福祉の援助を平等に受けられれば、ジェンダー的な心の傷を負うこともないだろう。

拡大する階級格差によって、圧倒的多数の貧しい女性たちと特権を持った女性たちとの乖離《かいり》がすすんでいる。わたしたちの社会で、エリート集団の、なかでも裕福な女性たちが手にしている大きな階級的力は、他の女性の自由を犠牲にすることを代償に得られているのだ。階級的な力をもっている女性のなかには、少数ではあるが、特権をもたない女性たちを援助し支える経済プログラムを通じて、こうした女性たちとのあいだに橋を架けようし努力している者もすでに存在している。裕福な女性たち、とりわけ財産相続などで裕福になりながら、フェミニズムに関わりつづけている女性のなかには、共同参加型の経済のしくみを発展させることで、階級的に力をもたない女性たちへの関心と連帯を示す女性もいる。今のところ、こうした女性はほんの少数にすぎないが、そうした努力がもっとよく知られるようになれば、そういう女性の数も増えるだろう。

三十年前、フェミニストたちは、仕事をめぐってわたしたちの社会にどんな変化が起きるか、予想できなかった。大量の失業がふつうになり、女性が働こうとしても仕事がないことなど、考えもしなかった。福祉にたいする保守的な、ときには自由主義的な攻撃や、お金のないシングルマザーがその経済的苦境のゆえに責められ、目の敵にされるようなことを、予想できなかったのである。こうしたすべての予期せざる現実をまえにして、未来へのヴィジョンをもったフェミニスト思想家に求められていることは、改めて、解放と仕事の関係について考えてみることである。

今日の職場での女性の役割についてや、そのことがいかに女性の自己評価や家庭での役割を変えたかについては、多くのフェミニスト学者が語っている。だが、多くの女性が外で働くようになったことが、男性中心社会をよい方向に変えたのかどうかを検証する研究はあまり多くない。多くの男性が、女性が外で働くようになったせいで失業したと不平を言ったり、また、たとえそれがかつても今も単なる幻想であるにせよ、家父長主義的な稼ぎ手だったことで与えられていた確固としたアイデンティティが失われたといって、文句を言っている。今後のフェミニズムにとって重要な課題のひとつは、現実に即したかたちで、男性たちに、女性と仕事の関係について教えることである。そうすれば男性たちにも、働く女性が男性の敵ではないとわかるだろう。

女性が外で働くようになってから、もう長い時間がたった。女性たちの現実を無視したユートピア的なフェミニズムは仕事こそ意味あるものだと言ったが、賃金が高い低いにかかわらず、多くの女性たちが見いだした現実はそんなものではなかった。女性が、あらゆるレベルでの生活の質を高めるためよりも消費するためにお金を稼ぐとき、仕事は経済的な自活にはつながらない。お金が幸せの促進のために使われないなら、いくらお金が増えても、自由が増えることにはならない。仕事の意味を考え直すことは、これからのフェミニズム運動の重要な課題である。女性たちが貧しさから脱する方法を示すこと、それと共に、物質的には欠けているものがあっても良い生活を送るために使える方法を考えることは、フェミニズム運動の成功に不可欠である。

これまでのフェミニズム運動は、女性が経済的に自活できるようにすることを運動の主たる目標にしなかった。だが、今や、女性たちの経済的な苦境を問題にすることは、大多数の女性たちに歓迎されるフェミニズムの政策綱領になるだろう。それはまた集団的組織化の場となり、みんなの共通の闘いの場となり、すべての女性を団結させる課題となるだろう。

10 人種とジェンダー

人種の問題や人種差別の現実を自覚するよう、フェミニストたちに要求したこと以上に、アメリカのフェミニズムの流れを変えた出来事はない。アメリカのすべての白人女性は、自分たちの置かれた地位が、黒人の女性や有色の女性とは違うことを知っている。この自覚は、幼い少女の頃に始まる。テレビを見れば出てくるのは白人ばかりだし、雑誌を見れば、そこでもまた見えるのは白人ばかりだ。そして、テレビや雑誌に白人でない登場人物がいなかったり、見えなかったりする、その唯一の理由が「白人でない」からだということを知る。この国のすべての白人女性は、「白人である」ことが特権集団に属することだと知っている。こうしたことを知っていながら、そんなことなどないようなふりをしたり、目をそむけたりしたがるのは、無知ゆえではない。それは、白人の女性たちが、そういう現実を認識したがらないことを意味しているのだ。

白人女性のなかで、公民権運動に参加した女性たち以上に、自分たちと黒人女性の地位の違いを理解した集団はいなかった。歴史的資料としてこの時期に白人女性が書いた日記や回想録を見ると、そうした自覚が記されている。このような活動家の多くが、公民権運動から女性運動に入ってゆき、フェミニズム運動の先頭に立った。だが彼女たちは、公民権運動のなかで自らの体験によって知った、白人女性と黒人女性との違いについて、忘れたり目をそむけたりしようとした。人種差別に反対する運動に参加した、というだけでは、自らの白人優越主義を脱したことにはならなかった。白人の女性の方が黒人の女性よりも優秀で、物事をよくわきまえ、より高い教育を受けており、したがって、運動を「指導」するのにより適している、といった考えを捨て去ることはできなかったのである。

白人のフェミニストたちがとった行動は多くの点で、奴隷制廃止運動に参加した先輩の白人女性の轍を踏むものだった。奴隷制廃止運動に参加した白人女性たちは、当初すべての人（白人女性と黒人）に参政権を与えるよう要求した。しかし、状況が、黒人の男性は参政権を得るものの白人の女性は女性というジェンダーゆえに拒否されそうになると、白人至上主義をかかげ、白人男性と手を結ぶことを選んだのだった。現代の白人女性たちは、よりいっそうの権利を黒人に与えるよう要求する公民権運動の高まりを目の当たりにして、まさにそのときを選んで、自分たち自身の権利を要求した。そういう活動家のなかには、公民権のための運動をしていたときに性差別や性差別的な抑圧の問題に目覚めたのだと言う者もいた。だが、もし本当にその通りなら、あらたに発見した性差別についての政治的自覚を人種差別の自覚と重ね合わせるようなかたちで、フェミニズム運動の理論をつくったはずだろう。

白人女性の活動家たちがフェミニズム運動に入っていくときにしたことは、人種をめぐる違いを無視し否定することだった。ジェンダーと共に人種の問題をとりあげるのでなく、全体図から人種を消し去ったのだ。ジェンダーを前面にすえることは、白人女性が中心舞台に立てること、フェミニズム運動を自分たちのものにできることを意味していた。たとえ、口ではすべての女性に参加を呼びかけたにしても、である。フェミニズム運動は当初から、人種の違いや反人種差別運動を真剣にとりあげようとはしなかったし、そこで叫ばれた絵空事のシスターフッドは、ほとんどの黒人や有色の女性たちの心を捕らえなかった。フェミニズム運動の最初から関わっていた黒人の女性もいたが、彼女たちはじっと見守っていた。フェミニズムが始まった頃、黒人と白人が一緒に活動するようなことはまだまれだった。多くの黒人たちは、人生で初めて、白人と同等につきあう方法を学んでいるところだった。そうしたなかで、フェミニズムに参加しようと決めた黒人の女性たちが、人種についての気づきを運動にもちこむことに熱心でなかったのもふしぎではない。白人の女性たちが「姉妹たち」と呼びかけるのを見ることは、これまで、白人女性が主に搾取者や抑圧者としてふるまう世界を体験してきた黒人の女性たちにとって、びっくりするような出来事であったにちがいないのだ。

白人女性の人種差別に異議を申し立てたのは、一九七〇年代後半から一九八〇年代前半にフェミニズムに参加してきた若い世代の黒人や有色の女性たちだった。上の世代の黒人女性の活動家たちと違って、わたしたちはほとんどの教育を、白人が圧倒的多数を占めているような学校のなかで受けてきた。白人女性との関係で、従属的な地位に置かれたこともあまりなかった。職場体験もなかった。社会のなかで自分たちが置かれている地位を身をもって知る、ということがなかったのだ。わたしたちは、女性運動のなかでの人種差別や白人優位を批判しやすい立場にあったのである。女性のあいだの違いを認めることをもっとも嫌がったのは、女性は性的階級ないし身分を形成していると主張し、「女性の共通の抑圧」という旗のもとに運動を組織しようとしてきた白人のフェミニストたちだった。人種は、違いを認めれば、すべての女性が同じ体験をしている、という主張が損なわれる。人種は、女性のあいだのいちばんはっきりした違いだった。

『わたしは女じゃないの？――黒人女性とフェミニズム』の最初の草稿をわたしが書いたのは一九七〇年代だった。わたしは十九歳で、働いた経験もなかった。南部の黒人ばかりの小さな町から、カリフォルニア州のスタンフォード大学にやってきた。家父長主義的な考えに抵抗しながら大きくなったが、フェミニズムに出会ったのは大学でだった。そこで、たった一人の黒人女性として、フェミニズムの授業を受け、コンシャスネス・レイジングの集まりに出て、わたしは人種とジェンダーについて理論的に考えはじめた。フェミニズムの底流に人種差別的な偏見があることを認めるよう要求し、フェミニズムの変革を唱え始めたのも、そのときだった。他にもあちこちで黒人や有色の女性たちが個々に同じような批判に立ちあがっていた。

その当時、白人女性たちは、人種差別や人種的な違いがあるという現実に面と向かいたがらず、わたしたちを、フェミニズム運動に人種をもちこむ裏切り者だと非難した。白人のフェミニストたちは、まちがったことに、わたしたちがジェンダーから他の問題に焦点をそらそうとしていると思ったのだ。実際には、わたしたちの要求は、女性たちのありようを現実的に見るべきであり、そうした現実的な理解こそがフェミニズムの真の土台になるべきだということだった。わたしたちの意図は、シスターフッドの理念を否定することではなかった。わたしたちは、真のシスターフッドを可能にするような具体的な連帯の方法を探ろうとしたのである。わたしたちにわかっていたのは、白人女性が白人至上主義を脱することができず、フェミニズム運動が基本的に人種差別に反対できなければ、白人の女性と有色の女性のあいだに真のシスターフッドなどできない、ということだった。

人種をめぐる批判は、女性運動を弱めなかった。運動はより強いものになった。人種の違いを認めない態度が打ち破られたことで、女性たちは、あらゆるレベルでの違いと向き合えるようになった。わたしたちはとうとう、特権階級の利益、とりわけ白人女性の階級的利益が他のすべての女性たちの利益に優先するのでないようなフェミニズム運動をつくり始めた。女性たちのあらゆる現実が語られるようなシスターフッドの理念をかかげたのだ。フェミニストたちのあいだでは人種について個々の参加者が開かれたかたちで討論を行い、それが多くのフェミニズムの理論と実践を考え直すことへとつながっていった。そのようなことが、社会正義をめざす運動において起こったことは、かつてなかった。フェミニズム運動の参加者が、正義や解放の理念をひとときも揺るがせにすることなく、しかも批判や異議申し立てにきちんと相対することができたという事実こそ、運動のもっている力の証拠である。このことが示すのは、フェミニストの思想家たちがたとえ過去にまちがった考え方をしていたとしても、フェミニズムの変わろうとする意志や闘いと解放への志は、まちがった考えや前提への固執よりもつねに強いのだ、ということである。

わたしは、長いこと、白人フェミニストたちが人種の重要性を認めたがらないのを見てきた。彼女たちが、白人至上主義から脱却することを拒否し、人種差別に反対するフェミニズムこそシスターフッドを実現するための唯一の政治的土台だと認めようとしないのを、見てきた。同時に、心の革命も見てきた。それは、個々の女性たちが、人種差別の現実から目をそむけることをやめ、白人至上主義の考えから自由になろうとする姿である。こうしたすばらしい変化を見ることで、フェミニズムにたいするわたしの信頼はつなぎとめられ、すべての女性にたいする連帯感は強められてきた。

フェミニズムの思想と理論は、全体として、人種の問題についての批判的な問題提起によって豊かになった。ただ残る問題は、この理論をどう実践に移すかである。白人のフェミニストたちの理論には人種の視点が取り入れられるようになったが、こうした視点が、白人女性と有色女性との日常的な交流に影響を与えるには至っていない。いまだに人種的な分断が強い社会にあって、女性たちが人種差別に反対しながら協同歩調をとることはむずかしい。多様な試みにもかかわらず、圧倒的多数の人々は今でも、自分と同じ種類の人とだけ交わっている。女性のあいだでも、人種差別と性差別とが結合して有害な分断をつくり出している。こうした事態を変えようとするフェミニズムの取り組みは、今までのところ、目立った効果を生んでいない。

白人の女性と有色の女性は、それぞれ個人として、愛情と政治的連帯の絆が実現するような場をつくるために、困難ななかでもがんばってきたが、そこでうまくいった方法を、わたしたちは共有してゆく必要がある。少女たちのあいだでの人種的な違いについては、ほとんど何の注目も払われていない。人種的偏見をもったフェミニストが書いた理論では、白人の少女はなぜか有色の少女よりも性差別的な犯罪などの犠牲になりやすいことになっているが、これは、だから白人女性の関心事や問題は他の集団の問題よりも注目されて然るべきだという白人至上主義的な発想である。実際のところ、黒人やヒスパニック、アジア系など有色の少女たちは、性に関して白人の少女たちとは違う行動をとることがあるが、そのことは有色の少女たちが性差別的な状況を内面化してしまっているというだけでなく、取り返しのつかないほど深刻な性差別の犠牲になる可能性がより高いことでもあるのだ。

フェミニズム運動、とりわけ、未来へのヴィジョンをもった黒人フェミニストたちの運動は、人種と人種差別について考え直すための道を切り開いてきたが、これは、わたしたちの社会全体によい影響を与えている。主流の評論家たちはほとんどこの事実を認識していない。フェミニズム運動における人種と人種差別問題について幅広く書いてきたフェミニストとして、わたしは、まだまだ問題点や変えるべき点がたくさんあることは承知のうえで、それでも、大きな変化が起こってきたすばらしさを讃えることも同じくらい重要だと思う。このことを祝福し、わたしたちがなしとげた大きな勝利を理解し、それをモデルにすれば、反人種差別的な大衆的フェミニズム運動をつくる健全な土台ができるだろう。

11　暴力をなくす

フェミニズム運動がこれまで社会に与えた影響のうちで、もっとも広く知られた積極的なものは、人々にＤＶについて気づかせ、それへの問題意識を文化のなかに深く根づかせるとともに、ＤＶを終わらせるためにはわたしたちの考え方や行動がどう変わらなくてはならないかを考えさせたことだろう。今では、ＤＶの問題は、マスメディアから小学校まで、非常に多くのところで語られているが、今なおつづくＤＶの現実を劇的に暴き、問題にした原動力こそフェミニズム運動だったことはしばしば忘れ去られている。当初、フェミニズムがＤＶをとりあげたときには、男性の女性に対する暴力が焦点だった。だが、運動が進展するにつれて明らかになってきたのは、ＤＶは同性間にも存在するし、女性と暮らしている女性も暴力の被害者となってきたこと、また、子どもも、女性および男性の親からの暴力の被害者となってきたことである。

家庭での家父長主義的な暴力は、より力をもった者がさまざまな形の強制力を使って他のメンバーを支配することは当然だ、という考えに基づいている。ドメスティック・バイオレンスをこう広く定義すれば、そこには、女性にたいする男性の暴力、同性間の暴力、そして子どもに対する大人の暴力が含まれる。「家父長主義的な暴力」という言葉は、耳慣れた「ドメスティック・バイオレンス（家庭内の暴力）」という言葉よりも有効である。というのは、そのほうが聞く者に、家庭内での暴力は性差別や性差別的な考え方や男性支配と関係があることを連想させるからである。「ドメスティック・バイオレンス（家庭内の暴力）」という言葉は、個人的で親密な関係のなかで起こる暴力は、家庭の外で起こる暴力に比べて、それほど恐くもなければひどくもないという印象を与える、いわば「耳触りのよい」言葉として長いこと使われてきた。しかし、現実にはそんなことはない。殴られたり殺されたりする女性は、家の外よりも家の中でのほうが多いのだ。さらにまた、多くの人が、大人のあいだでの家庭内暴力と子どもへの暴力とを切り離して、違ったものと見なしがちだが、それもそうではない。子どもたちは、母親が夫や同居している男性から暴力をふるわれるのをかばおうとして自分も暴力の犠牲となったり、あるいは、暴力や虐待を目の当たりにすることで精神的な被害を受けるのである。

この国の圧倒的多数の市民が、同一労働には同一賃金が支払われるべきと思うと同じく、男性は女性や子どもを殴るべきではないと思っている。それなのに、DVは性差別の直接の結果であり、性差別がなくならない限りなくならない、と言われると、人々は、それは論理の飛躍だと思ってしまう。というのも、そのためには性差別的な考えに反対し、そうした考えを変えることが必要となるからである。強調しておきたいのだが、わたしは、フェミニズム運動はあらゆる形での暴力をなくすという高い目標をもつべきだ、と信じる数少ないフェミニスト理論家の一人である。女性にたいする家父長主義的な暴力を問題にすることは、今後もフェミニズムの最重要課題であろう。しかし、女性にたいする男性の暴力を、それこそがその他の家父長主義的な暴力のどれよりもひどくて問題なのだ、というような形で強調することは、フェミニズム運動の利益にはならない。そういうふうに言うことは、子どもへの家父長主義的な暴力の多くが、性差別的な女性や男性によってふるわれているという事実を覆《おお》い隠してしまう。

男性から女性への暴力のみに注意を喚起しようと躍起になっている改良主義的なフェミニストたちは、今でも、つねに女性だけを犠牲者として描くことが多い。子どもへの暴力の多くが女性によってふるわれているという事実が同じく問題としてとりあげられることもなければ、それがもうひとつの家父長主義的な暴力の表現であると見なされることもない。子どもたちは、家父長主義的な暴力の直接の標的となる場合だけでなく、暴力を目撃させられる場合にも傷つけられることを、わたしたちは今ではよく承知している。もし、すべてのフェミニストが、女性による家父長主義的な暴力への怒りを表明し、それを男性から女性への暴力と同じく問題にしていたら、世間の人々は、家父長主義的な暴力の問題を、反男性運動の一環と見なしてしりぞけるようなことはできなかっただろう。

多くの調査が、女性は非暴力的な手段をとる傾向が強いことを示しているとはいえ、女性から家父長主義的な暴力をふるわれた体験をもつ成人や子どもの被害者は、女性が非暴力的ではないことを知っている。真実のところは、どれくらい女性から暴力をふるわれているかという事実を語る組織された集団としての声を、子どもたちはもっていないということなのだ。もし、女性および男性から暴力をふるわれて医学的治療が必要となる膨大な数の子どもたちがいなかったら、女性の暴力を物語る証拠はないかもしれない。『フェミニズム理論——周縁から中心へ』のなかの「暴力をなくすフェミニズム運動」の章で、最初にこの問題にふれたとき、わたしは次のように述べた。

　フェミニズムがこれからも女性への暴力をなくすために闘うとき、その闘いをすべての暴力をなくす運動の一環と見なすことが非常に重要である。フェミニズムはこれまで男性の暴力に焦点を当ててきたが、その結果として、男性は暴力的だが女性はそうでない、男性は加害者で女性は被害者だ、といった性差別的なステレオタイプに手を貸すことになっている。こうしたタイプの考え方をするかぎり、支配的な集団が被支配者を力で押さえつけることは当然だという考えを、この社会の女性たちが（男性たちと一緒になって）どれほど受け入れ、永遠不滅のものにしているかを、わたしたちは見ないことになる。女性がどれほど力で他人を押さえつけ、暴力的にふるまうかを見すごし、そこから目をそむけることになるのだ。女性が男性ほどには暴力をふるわないという事実があるからといって、女性の暴力がないということではない。わたしたちが暴力を根絶しようとするなら、この社会の男性と女性の双方を、暴力を行使する集団だと見なさなくてはならないのである。

みずから暴力をふるうわけではないが、子ども、とりわけ息子に、暴力は社会の秩序を維持する当然の手段であると教える母親は、家父長主義的な暴力と結託している。そういう母親は考えを変える必要がある。

確かに、ほとんどの女性は、男性を支配するために暴力をふるうことはないだろう（ただし、少数とはいえ、男性を殴る女性はいる）。だが、権力の座にある者は権威を維持するために力を行使する権利があると、思っている女性は多い。膨大な数の親たちが、子どもにたいして、何らかのかたちで、身体的な暴力や言葉の暴力をふるっている。子どもの面倒をみるのは今なお主として女性なわけだが、さまざまな事実から見えてくる現実は、支配の文化のなかで権力システムが女性に権力を与えるなら（親子関係のように）、女性もまた支配を維持するためにしばしば強制力を使うということである。支配の文化のなかでは、だれもが、暴力は社会をコントロールするための当然の手段である、と見なすよう社会化されている。支配集団は、現在の権力構造が脅かされるときにはいつも、罰として身体的あるいは精神的な暴力が行使されるという脅迫（実際に行使されるにしろ、そうでないにしろ）によって権力を維持しているのだ。それは、男性と女性の関係でも、親と子の関係でも、同じである。

男性の女性への暴力は今もメディアの注目を（O・J・シンプソン裁判[*1]のような現実の裁判事件

をとりあげることによって）集めている。だが、世間の注目は集まっているものの、アメリカの世論は、こうした暴力の背後にある原因を問い、家父長主義を問題にするには至っていない。性差別的な考えは、依然として男性支配とその結果である暴力を支えつづけている。失業していたり、低賃金で働いている多くの男性たちは、白人至上主義的で資本主義的な家父長制のなかで、仕事の領域では権力をもっているとは感じていない。そこで、そうした男性たちが奨励されるのは、絶対的な権威と尊敬を手にできる唯一の場こそ家庭である、と感じることである。男性たちは、支配階級を形成する男性集団によって、仕事という公的な場では支配を受け入れるべきだが、家庭という私的な場や親密な関係では男らしさと同義である権力意識をもってもよい、というふうに社会化される。失業の身分を余儀なくされたり低賃金しか受け取れない男性がふえる一方で職につく女性がふえてきたなかで、性差別的に男女の役割が決められている社会にあって、暴力をふるうことによってのみ権力と支配を維持できると感じる男性もいる。そうした男性たちが、男性にはどんな手段に訴えてでも女性を支配する権利があるのだとする性差別的な考え方を捨てないかぎり、女性にたいする男性の暴力はなくならないだろう。

フェミニズムの最初のころ、運動を担っていた活動家のなかには、男性の女性への暴力を帝国主義的な軍事優先政策と結びつけて考えようとしない者も多かった。こうした関連性に思い至らなかったのは、男性支配に反対していたフェミニストたちが、軍隊や軍事優先政策を受け入れ、ときには支持してさえいたからだった。性差別的な考え方は、「殺人者」になるよう少年たちを社会化する。それが空想の世界での勧善懲悪の戦いであろうと、他の国に言うことをきかせるための帝国主義軍隊での兵士の体験であろうと、少年たちへのそうした社会化が行われるかぎり、家父長主義的な暴力は続いてゆくのだ。最近、出身階級を問わず、若い男性によるぞっとするような暴力事件が頻発するなかで、こうした行動に国民的非難が巻き起こっているが、こうした暴力を性差別的な考え方と結びつけようとする人は非常に少ない。

『フェミニズム理論——周縁から中心へ』の暴力についての章で、わたしは最後に次のように書いて、暴力を受け入れ容認し行使しつづけ、さらには暴力の文化を創り出しているのは、男性だけではないことを強調した。暴力を容認することにおいて、女性は、自らが果たしている責任をとる必要があると述べたのである。

男性の女性への暴力に注意を喚起したり、軍国主義は男性支配の別の表現であると主張するだけでは、きちんと暴力の問題に迫ることはできないし、有効な抵抗の運動を広げ、解決を展望することはむずかしい。(…)男性の女性への暴力の問題を軽視したり、男性の他国や地球への暴力の問題の深刻性を無視したりする必要はまったくないが、同時にわたしたちは、男性も女性も一緒になってアメリカの暴力の文化を作っていること、だからこそ一緒になって、そうした文化を変え、新しい文化を創る必要があることを認識しなければならない。女性も男性も、社会を管理する手段としての暴力の行使にたいして反対しなければならない。それは、戦争、男性の女性への暴力、大人の子どもへの暴力、青少年の暴力、人種差別の暴力等々、いかなる形の暴力にたいしても、である。女性に対する男性の暴力をなくそうとするフェミニズムの闘いは、すべての形での暴力をなくす運動へと拡げられるべきなのだ。

なかでも重要なのは、親が、非暴力的な育児法を学ぶことである。なぜなら、困難な状況を打開するために知っている唯一の方法が暴力だとしたら、子どもたちが暴力を手放すことはないからである。

わたしたちの国では、非常に多くの人々が暴力について心を痛めている。それなのに、暴力を家父長主義的な考え方や男性支配と結びつけて考えることを頑固に拒否しているのだ。フェミニズムの考え方こそが、解決の道を示すことができる。そして、そうした解決の道を、みんなに知らせられるかどうかは、わたしたちにかかっているのである。

訳注

＊1　一九九四年六月、アメリカのフットボール界のスーパースターであった黒人選手のO・J・シンプソンが、前妻ら二名の殺人容疑で逮捕され、その経過と裁判は全米のメディアで大々的に報道された。裁判で陪審団は、九五年十月、無罪評決を下した。

12 フェミニズムの考える男らしさ

フェミニズム運動が始まった最初のころには、激しく男性を敵視する潮流があった。異性愛の女性たちは、それぞれに、残酷で不親切で暴力的で不実な男性との関係から運動に参加してきた。そうした男性たちの多くは、社会正義を求める運動に参加していたラディカルな考えの持ち主であって、労働者や貧困者のために立ちあがったり、人種差別に反対したりしていた。ところが、こういう男性たちも、ことジェンダーの問題になると保守的な男性とまったく同じように性差別主義者だった。こういう男性との関係から運動に参加した女性たちは、怒っていた。そして、こうした怒りをバネに女性解放運動が生まれたのだった。運動が発展し、フェミニズム思想が深まるにつれ、目覚めたフェミニストたちは、問題が男性にあるわけではないこと、問題は家父長制であり、性差別であり、男性支配であることを見てとるようになった。だが、問題が単に男性にあるわけではないという事実を直視するのは簡単ではなかった。そういう事実を直視するには、より複雑な理論が必要だったし、さらには性差別が存在し機能しつづけるために女性も役割を果たしていると認めなくてはならなかったからである。次第に多くの女性たちが男性との見込みのない関係を見限るようになったが、そうなると、問題はよりはっきり見えるようになった。というのも、個々の男性はもう家父長主義的な特権をふるえなくなっているのに、家父長制のシステムや性差別や男性中心社会はそのままであり、女性たちはなおも搾取され抑圧されつづけていたからである。

保守的なマスメディアは、一貫して、フェミニストは男性を敵視していると宣伝してきた。そして、フェミニズム運動のなかに男性を敵と見なすような潮流や感情があると、マスメディアはそれを、フェミニズムをけなすためにことさら強調した。フェミニストは男性を敵視している、と描くことの背後には、フェミニストはみなレズビアンだという思い込みがあった。同性愛を毛嫌いする感情に訴えながら、マスメディアは、男性の反フェミニズム感情を煽《あお》った。フェミニズムの思想家たちは、フェミニズム運動が始まって十年もたつかたたないうちに、家父長主義が男性にとっても有害であることを語りはじめた。フェミニズムは、男性中心社会にたいする徹底した批判の姿勢は変えずに、その考えを広げて、家父長主義は男性からある種の権利を奪い、性差別的な男としてのアイデンティティを押しつけている、と認識するようになった。

フェミニズムに反対する男性たちは、つねに大きな発言力を持ってきた。フェミニズムの考え方や活動を恐れたり憎んだりする男性たちは、いち早く一致団結してフェミニズム運動を攻撃した。だが、運動の当初から、少数ではあれ、フェミニズムが社会正義のための重要な運動であると認める男性もいた。こうした男性たちは、フェミニズムが、男性が支持してきた歴史上の他のあらゆるラディカルな運動と同じく重要なものだと認めた。こうした男性たちは闘いの同志となり、仲間となった。フェミニズム運動を担っていた異性愛の女性の夫や恋人のなかには、なかなかフェミニズムを受け入れられない男性もいた。そうした女性たちにとって、フェミニストになることは、夫や恋人と意見が合わなくなる可能性や、ふたりの関係の終わりをもたらす危険性を意味していた。

フェミニズムのなかの男性を敵視する潮流は、性差別に反対する男性の存在を嫌った。というのは、そういう男性がいることで、すべての男性は抑圧者であるとか、すべての男性は女性を憎んでいるという主張が説得力をもたなくなるからだ。そうした男性敵視の主張は、ある種のフェミニスト女性の利益のために使われた。家父長主義的権力を手にするための階級的な上昇志向をもったフェミニストは、わたしたちすべてを「抑圧者か被抑圧者か」に分類することで、男性と女性を対立的に二分化しようとしたのである。こうしたフェミニストたちが、すべての男性を敵として描いたのは、すべての女性を犠牲者として描くためだった。こうして男性の特権に焦点を当てた結果、個々のフェミニスト女性の階級的特権や階級的権力への欲求から、注意がそらされた。すべての女性に男性を拒否せよと呼びかけたフェミニストたちが見ようとしなかったものは、女性と男性が共に築いてきた思いやりの絆であったり、あるいはまた、女性を性差別的な男性につなぎとめている経済的または感情的なつながり（よいものであろうと悪いものであろうと）であった。

男性を闘いの同志として認めようと呼びかけたフェミニストたちは、マスメディアの注目をあびることはけっしてなかった。わたしたちは、男性を敵として悪の権化のように描くことを理論的に批判したが、男性を敵視する女性たちの見解は変わらなかった。そして、男性が否定的に描かれたことに対応するように、女性を敵視するような男性運動が起こった。かつて「男性解放運動」[*1]について書いたとき、わたしは、こうした運動の底流にあるご都合主義に次のように注意を喚起した。

こうした男性たちは、自分たちこそ性差別の犠牲者であるとして、男性を解放するために活動している。かれらが、男性こそ犠牲者だという主な理由としてあげるのは、固定した性役割である。そしてかれらは、男らしさについての考え方を変えることは望むものの、男性の女性にたいする性差別的な搾取や抑圧については関心を払っていないのである。

男性運動は、多くの点で、女性運動のもっとも否定的な要素をなぞってきたのである。男性を敵視する潮流はフェミニズム運動のなかでは少数派だったのだが、にもかかわらず、フェミニストとは男性を敵視する女性のことだという世間一般のイメージを変えることはむずかしかった。もちろん、フェミニズムイコール男性敵視であると描くことで、男性たちは、男性支配の責任をとらずに注意をそらすことができた。だが、もしフェミニズムの理論が、男らしさについてより解放的なヴィジョンを示せたなら、フェミニズム運動を男性敵視だと片づけることは誰にもできなかっただろう。残念なことに、フェミニズム運動は圧倒的多数の女性や男性の心をとらえたとは言えないのだが、それは、わたしたちの理論が、男性がどんなことをすれば性差別的でないかを示すだけでなく、それでは性差別的でない男らしさとはどういうものか、という問題に効果的に迫れなかったからである。フェミニズム運動や男性運動によって、家父長主義的でない男らしさとして提示されたヴィジョンは、しばしば、男性にもっと「女性的に」なれというものだった。しかも、そこで示された女らしさとは、あくまで性差別的な考えから出てきたものであり、それとは別の何かではなかったのである。

昔もそして今も、必要とされているのは、アイデンティティの基となる自分らしさを誇りに思い、愛することができるような、男らしさのヴィジョンなのだ。支配の文化は、自分を誇りに思う気持ちをうち砕き、その代わりに、自分の存在感は他人を支配することからしか得られないという考えを、わたしたちに植えつける。家父長主義的な男らしさが男性に教えるのは、自分が何者かということやアイデンティティや自分の存在理由が、どれくらい他人を支配できるかにかかっている、ということである。これを変えるために、男性は、男性によるこの地球の支配を批判しなくてはならないし、男性がより弱い男性や女性や子どもを支配することに反対しなくてはならない。だが同時に、男性たちは、フェミニズムの考える男らしさとはどのようなものなのか、はっきりしたヴィジョンを手にする必要がある。イメージできないものに、人はどうやってなれるというのだろう？　そうしたヴィジョンを、男性にしろ女性にしろ、フェミニズムの思想家はこれからもっとはっきりした形で示さなくてはならないのだ。

社会正義をめざす急進的な運動によく見られるように、わたしたちは、解決策を展望することよりも、問題を指摘する方が得意だ。それでもわたしたちは、家父長主義的な男らしさが男性を駆り立て、みじめなナルシシズムや幼児性に走らせたり、ただ男性に生まれたというだけで手にしている特権（いかに小さなものであれ）への心理的な依存に走らせているることを承知している。この特権が奪われたら自分の人生はめちゃくちゃになるのではないかと、多くの男性が恐れているが、それはかれらが、自分を支える真に意味のあるアイデンティティを形成していないからである。男性運動が積極的に自分の感情を取り戻すことを教えたり、自分のなかの失われた少年を取り戻し、その魂やその成長を慈《いつく》しむことを教えたりしようとするのは、そのせいである。

少年たちに向かって、どうしたら性差別に根ざさないアイデンティティを形成できるかを教えるようなフェミニズムの書物は、いまだ十分とはいえない。性差別に反対する男性たちも、少年、とりわけ思春期の男の子の成長に焦点を当てることを含んだ、批判的な意識を育てる教育をほとんどしていない。こうした欠落の結果として、今、少年たちをどう育てたらよいかが社会的関心事となっているのに、フェミニストの見解はまったくといっていいほど見られない。悲劇的なことには、またぞろ、有害な女性敵視の考えが登場している。それは、母親の手では健全な息子は育てられない、とか、男の子は規律や権威への服従を強調した家父長主義的で軍隊的な男らしさからこそ「利益」を得ることができる、というものである。だが、少年たちに必要なのは、のびやかな自分への誇りである。少年たちに必要なのは愛である。知恵と愛情にあふれたフェミニズムこそが、男の子たちの命を救うための唯一の土台となることができる。家父長主義は男の子を癒さない。もし家父長主義が男の子たちを癒せるなら、かれらはみんな幸せになっているはずだ。

この国のほとんどの男性が、自分のアイデンティティについて問題を抱えている。男性たちは家父長主義にしがみついてはいるものの、それが問題であることをうすうす感じ始めている。増える失業や報われない仕事、そして女性の階級的権力が増えていることは、裕福でも権力者でもない男性たちが、自分たちの居場所を確かめることを困難にさせている。白人至上主義的で資本主義的な家父長制は、約束したすべてを与えてはくれない。多くの男性は苦しんでいるが、それは、そうした約束が不正義と支配に根ざしており、たとえ実現されたとしても真の喜びにはつながらないと見抜いて自分を解放してくれる批判精神を、もてないからである。解放に背を向け、何よりも自分の魂を殺してしまう白人至上主義的で資本主義的で家父長主義的な考えを再強化している男性たちは、破滅的な行為に突っ走る少年たちと同じく、破滅的である。

フェミニズムの考える男らしさとは何かを伝え、少年や男性たちを愛し、わたしたちが少女や女性のために求めるあらゆる権利を少年や男性のために要求するようなフェミニズムのヴィジョンこそが、アメリカの男性の再生を可能にする。フェミニズムの思想はわたしたちに、どうやって人生を豊かに肯定するような方法で正義や自由を愛するかを、教えてくれた。わたしたちがいま必要としているのは、フェミニズムの考える男らしさが栄えるような世界を創るにはどうしたらよいかを示してくれる、新しい方法であり、理論であり、新しい案内者なのである。

訳注

＊1　男性解放運動は、より自由で人間らしい生き方を求める男性たちの運動として、一九七〇年代のアメリカで、女性運動と相前後して始まった。男性問題の解決をフェミニズムと手を携えて考えてゆこうという運動もあるが、男性差別に着目し男性の権利擁護を強調する運動や、男性の精神性をとりもどそうとする運動、また保守的な男性性への回帰を訴えるものなど、その内容はさまざまである。今後、男性運動やそれと連動した男性学は、女性運動や女性学と共に、男性の側から男性中心社会を変えてゆくものとして発展してゆく必要があるだろう。

13 フェミニズムの育児

子どもの問題は、ラディカルなフェミニズム運動の中心的なテーマだった。女性たちは、性による差別をせずに子どもを育てることで、性差別反対の運動を必要としない未来社会を願ったのである。当初、子どもの問題で主に焦点になったのは性差別的な性役割の問題であり、また、そうした性役割が、生まれてこの方いかに子どもたちに押しつけられるかについてだった。子どもにたいするフェミニズムの関心は、女の子にたいする性差別的な偏見を問題にしたり女の子の違うイメージを創ったり、という形で、つねに女の子に集中してきた。時折は、男の子を性差別的でないやり方で育てる必要性に注意を喚起したりもしたが、多くの場合は、男性中心主義にたいする批判から、すべての男性はすべての女性よりも恵まれているという思い込みが幅をきかせた。男の子はつねに女の子よりも特権と権力をもっているという前提にたって、フェミニズムは、ひたすら女の子の問題を優先したのだった。

フェミニストたちが、家族のなかの性差別と対決するときに直面した困難のひとつは、女親の多くが性差別的な考えの持ち主である、ということだった。男親や育児にあたる成人男性がまったくいないような家庭においてさえ、女性は、昔も今も、子どもに性差別的な考えを吹き込んでいる。女性が一家の長であるような家庭は自動的に女性中心主義的である、と多くの人が思っているのは皮肉だ。実際には、家父長主義的な社会にあって、一人で家族を背負っている女性はしばしば、男性がいないことに罪の意識を感じ、子どもたち、とりわけ男の子に性差別的な価値観を与えなくてはならないと思い込んでいることが多い。最近、階級や人種を問わず若い男性による暴力的な行動が頻発しているが、それにたいして有力な保守評論家が、女親だけの家庭では健全な男の子を育てられない、などと発言している。これはまったくの嘘である。事実を見れば、わたしたちの社会でもっとも愛すべき力強い男性たちのなかに、母親だけの手で育てられた者がいる。繰り返して言うが、一人で子ども、とりわけ息子を育てている女性は、息子に、どうやって家父長主義的な男性になるかを教えられないと考えている人が多いが、そんなことはないのだ。

支配をよしとする、白人至上主義的で資本主義的な家父長制の文化のなかで、子どもは無権利である。フェミニズム運動は、わたしたちの文化が子どもを愛さない文化であり、今なお子どもは親が意のままにできる所有物だと見なす文化だということに注意を喚起した、この国で最初の社会運動である。子どもにたいする大人の暴力は、この社会では当然と思われている。問題なのは、女性は子どもへの日常的な暴力の主たる犯人であり、その理由はただ、子どもの面倒を主に見ているのが女親だからだという事実に、フェミニストたちがほとんど注意を喚起しようとしなかったことだ。フェミニズムが、子どもの性的虐待のような横暴が起きるのは家庭での男性支配ゆえだという事実に注意を喚起したのは、決定的に重要であり革命的なことだったが、実際には、圧倒的多数の子どもたちが、女性および男性から、日常的に言葉で傷つけられたり、身体的な暴力をふるわれたりしている。母親的な残虐性ゆえに、女性はしばしば子どもを感情的に虐待するが、成人女性が子どもにふるう暴力の問題について、フェミニズムはこれまで批判も問題提起もしてこなかった。

子どもには市民権がない支配の文化のなかでは、力をもった大人の男性と女性は、子どもたちを思うままに支配できる。病院の記録などからは、この社会で、子どもたちが日常的に暴力的な虐待を受けていることがわかる。そうした虐待の多くは命にかかわるほどのものだ。たくさんの子どもたちが死んでいる。女性は、男性より多いとは言えないまでも、男性と同じくらいこうした暴力をふるっている。フェミニズムの思想と実践に欠けていた深刻な問題は、今なおつづく大人の女性の子どもへの暴力に対決してこなかったことだ。男性による支配を強調することで、女性たち――フェミニストも例外ではない――が無視してこられたのは、女性が子どもを虐待しているという事実である。そしてそれは、わたしたちがみな、家父長主義的な考え方、すなわち、力のある者は力のない者を支配する権利があり、そのためにどんな手段でも使えるとする支配の論理を内面化して社会の一員となるからなのである。白人至上主義的で資本主義的で家父長主義的な権力関係においては、男性が女性を支配することが許されている。そして、同じように許されているのが、大人による子どもの支配なのだ。しかも、子どもを虐待する母親については、だれも問題にしようとしたがらないのである。

何度かした話だが、ある豪華なディナーパーティに出席していたときのことだ。ひとりの女性が、小さな息子をしつけるために、どんなふうにつねって子どもに言うことを聞かせるかを話しはじめた。すると、その場にいたみんなは、口々に彼女の厳しいしつけを褒めたのだ。わたしは、彼女の行為が虐待であり、その男の子が大きくなって女性を虐待するような男性になる種子を蒔《ま》いている可能性があると感じた。わたしは、その場のみんなに向かってこう言った。もしある男性が、女性に言うことを聞かせるためにどんなふうに叩いたりつねったりするか話すのを聞いたら、それは虐待だとわたしたちにはすぐわかるでしょう、と。それなのに、傷つけられるのが子どもだと、そういったひどい支配が許されているのである。これはけっして例外的な話ではないのだ。子どもにたいするもっとずっとひどい暴力が、母親や父親によって、日常的に行われているのである。

実際、この国の子どもたちが直面している危機とは、フェミニズム的な変化と家父長主義的な考えとが衝突しているなかで、家族が、すべての家庭で男性支配が当然視されていた昔と比べても、いっそうの戦場と化していることである。フェミニズム運動をきっかけに暴かれ、明らかにされた家父長主義的な家族の問題は、そこで昔も今も起こっている、男性による子どもへの性的虐待という深刻な問題をも含んでいた。それは、成人した女性たちが、フェミニズム運動に参加して自分たちは虐待のサバイバー[*1]であることを知り、セラピー的なケアを受けたこと、こうした自覚をセラピー的で個人的な領域から公の議論にしたこと、から始まった。こうしたことが明らかにされた結果、子どもたちが、現在起こっている虐待と倫理的にも精神的にも対決できるような土台ができたのである。だが、男性による子どもへの性的虐待に注意を喚起するだけでは、こうした虐待が男性中心社会と結びついており、それがなくなるのはただ家父長制が消滅するときだということを、人々が理解する状況をつくり出すことはできなかった。たしかに、男性による子どもへの性的虐待は女性による虐待よりも多く起こっているし、多く報告されてもいる。だが、女性による子どもへの性的強制もまた、男性による虐待と同じくらいひどいことだと見なされなくてはならない。フェミニズム運動は、男性による虐待を批判するのと同じくらい厳しく、女性による虐待を批判する必要があるのだ。子どもにたいする暴力は、性的虐待以外にも、さまざまなかたちをとっている。そのなかでももっともよくあるのは、言葉による暴力であり、心理的な虐待である。

　さまざまな虐待の土台にあるのは、恥ずかしいと思わせて傷つけることだ。男の子は、その行動が性差別的な意味での男らしさにあてはまらないとき、いじめの対象になることがよくある。男の子が侮辱を受けるのは、性差別的な大人（とくに母親）や他の子どもからであることが多い。育児にたずさわる男性が、性差別に反対する考えをもったり、そうした行動をとったりすれば、男の子も女の子もフェミニズムの実践を目の当たりにすることになる。フェミニズムの思想家や活動家が、性差別的な偏見で行動を判断することのない教育の場を子どもたちに提供するなら、少年少女たちは健やかな自分への誇りを育むことができるだろう。

男性の平等な育児参加は、ジェンダー的な平等のためだけでなく、男性が子どもとよりよい関係を築くためにも必要だ、という考えを広く社会に浸透させたことは、フェミニズム運動が子どものためになしとげたもっとも積極的な成果のひとつである。将来の女性学では、性差別に反対する男性の育児がいかに子どもの人生を豊かなものにしたか、という報告が聞かれるだろう。同時に、フェミニズムの全般的な育児論や、どうやったら性差別的でない環境で子どもを育てられるかの実践的方法についても、もっと知る必要がある。さらにまた、とても重要なこととして、そういう性差別的でない家庭で育った子どもたちがどういうタイプの人間になるのか、ぜひ知る必要がある。

未来への洞察力をもったフェミニストたちは、母親であることをすばらしいと認め、母親である女性たちがしてきた仕事を称賛する文化をつくりだす一方で、育児にかかわる男性の重要性や価値についても、否定したことはない。男性の育児への参加を称賛することで、女性たちが行っている母親としての仕事を蔑《さげす》んだりその価値を低めたりするなら、それは全女性を傷つける行為だ。フェミニズム運動が始まったとき、フェミニストたちは、母親業を激しく批判した。母親業を仕事に敵対するものとみなし、外での仕事こそが女性を解放し自分を満足させるとしたのである。しかし、すでに一九八〇年代半ばに、フェミニストのなかには、フェミニズムが母親業の価値を見下し、家の外での仕事に過剰な価値を置いていることに疑問を投げかける者もいた。『フェミニズム理論――周縁から中心へ』のなかでこの問題をとりあげたとき、わたしはこんなふうに書いた。

いまだに性差別が当然視され、人々のあいだに嫉妬や不信や憎悪や敵意をつくりだす不必要な競争が行われているような社会のなかで働くことは、労働を、ストレスや不満だらけの、ときとして全くやりたくないものにしてしまう（…）やっている賃労働が好きだし楽しいと思っている多くの女性たちも、仕事に時間をとられすぎて、その他の好きなことをする余裕がほとんどないと感じている。女性にとって、仕事は、ある程度の経済的自活やさらには金銭的な自己充足をも手にする助けとなるにしても、ほとんどの場合、人間として必要なものを十分に満たしてはくれない。その結果、思いやりにあふれた環境のなかで満足できる労働を求める女性たちの思いは、家族の重要性や母親業のよい面を再び強調することにつながっていったのである。

皮肉だったのは、フェミニストたちが母親業についてよりバランスのとれた主張をするようになったのと相前後して、家父長主義的な著名文化人や評論家たちが、シングルマザーや単親家庭への悪意に満ちた批判を始めたことだ。こうした批判がもっとも激しかったのは、福祉の問題に関してだった。国の援助を受けているにしろ働いているにしろ、愛すべきシングルマザーたちが、少ない収入をやりくりしていかに上手に子どもを育てているかを示すすべてのデータを無視して、家父長主義的な批評家連中は、あたかも「標準的家族」が存在するかのようにふるまい、女親だけの家庭を機能不全と非難した。そしてさらに、家父長主義的な稼ぎ手としてまた家長としての男性がいれば問題は解決するだろうと、言ったのである。

反フェミニズムの反動のなかでも、シングルマザーへの攻撃ほど、子どもたちの幸せに害を及ぼしたものはない。両親のいる家父長主義的な家族をそうでない家族よりも高く評価する文化のなかでは、自分の家族が基準にあてはまらないと、子どもたちはみな不安を抱くことになる。子どもの幸せが危機に瀕するのは、一家の柱が女性である問題家庭よりは一家の柱が男性である問題家庭の方であると、すべての証拠が示しているにもかかわらず、幻想でしかない家父長主義的な家族の理想像はいまだに手つかずに残っている。子どもは、愛にみちた環境で育てられる必要がある。支配があるところでは愛は存在しない。愛情にあふれた親こそが、自分への健やかな誇りをもった健康で幸せな子どもたちを育てる可能性をより多くもっている。それがシングルだろうとカップルだろうと、同性愛者だろうと異性愛者だろうと、また、一家の稼ぎ手が女性だろうと男性だろうと、関係ない。将来のフェミニズム運動では、性差別をなくすことが家族の生活をよい方向へ変えるのだと親たちに示すために、もっと努力しなくてはならない。フェミニズム運動は家族を大切にする。子どもたちへの家父長主義的な支配を、それが男性によるものであれ女性によるものであれ、なくすことが、家族を、子どもたちが安心していられる場にする唯一の道である。そういう場でこそ、子どもたちは自由になれるし、愛を知ることができるのである。

訳注

＊1　性暴力やＤＶの被害を受けながらも、そこから「生還」しその苦難を「生き延びた」人の意味。フェミニズムは、そうした体験をした人を「無力な犠牲者」「かわいそうな被害者」といった受動的なイメージでとらえるのでなく、災難や困難を生き延びそこから主体的に生還した人、と考えてきた。

14　結婚とパートナー関係の解放

結婚制度は、フェミニズム運動の最盛期には、激しい批判にさらされた。たくさんの異性愛女性がフェミニズム運動に参加したが、それは、親密な男女関係での男性支配、とりわけ結婚生活でのジェンダー間の不平等が当たり前とされてきた、長きにわたる男性支配に怒ってのことだった。運動の当初から、フェミニズムが異議を申し立てたのは、男女関係において、性の二重基準《ダブル・スタンダード》があること、つまり、処女でない女性や夫や恋人に忠実でない女性を非難する一方で、男性にはどんな性的欲求も行動も許されるという二重基準が存在していることだった。フェミニズムが結婚制度を批判し、だれでも手にできる安全な避妊手段を要求したことは、性の解放を求める運動の影響もあって、大きな力をもった。

当初、フェミニズムの活動家たちは、家族関係や私的な男女関係にことさら注目した。というのは、階級や人種を問わず、女性たちが男性支配の横暴を感じたのは、それが親からであれ夫や恋人からであれ、家父長主義的な家族や男女の関係のなかでだったからである。家の外で性差別的な上司や他人から受ける差別や支配にはちゃんと文句を言う女性が、家に帰って、パートナーには文句ひとつ言わないことがよくある。フェミニストたちは、長い結婚生活を体験した異性愛女性であれ、ずっと闘ってきたレズビアン女性であれ、結婚を、もうひとつの性的奴隷制でしかないと批判した。フェミニストたちが問題にしたのは、伝統的な性差別的な男女関係から結婚に至り、結婚すると、情愛や思いやりや尊敬の要素は消え去って男性が君臨する——まさに、家族を支配する家父長となる——ような結婚のあり方だった。

フェミニズムの最初のころ、フェミニストの多くは、男性が変わる可能性について悲観的だった。異性愛女性のなかには、性差別的な男性との不平等な関係を求めるくらいなら、一生独身を通すかレズビアンになると決心した者もいた。また、男性との一夫一婦制は、女性のからだは決まった一人の男性の所有物であるという考えを強化するものだ、と考える女性たちもいた。わたしたちは、一夫一婦制に縛られない関係を選んだり、結婚を拒否したりした。また、男性のパートナーと暮らしながらも、家父長主義的な社会の枠内で国の法律が定めた結婚にはとらわれないことで、男性も、女性の自立を心から尊重する気持ちになるだろうと信じた。フェミニズムは、性的奴隷制をなくすことを要求し、夫婦や恋人間での強かんや性的強制の横行に注意を喚起すると同時に、なによりも、女性が性的欲求を表現したり、性的行為をリードしたり、性的に満足する権利を主張したのだった。

異性愛男性のなかには、貞淑な女性は性に関心をもたないものだと教わってきたためにセックスに興味がないパートナーとのあいだで性的な満足を得られないから、という理由でフェミニズムの考えに賛同した者もいた。こうした男性たちは、セックスを楽しんでもよいのだという規範をフェミニズムが女性に提供し、それによってパートナーとより満足のゆくセックス・ライフが送れるとして、フェミニズムに感謝したのだった。フェミニズムは、女性はその性的実践によって価値が決まるという考えに反対したが、そのことは、処女でないことにつきまとってきた汚名を取り除いただけでなく、女性の性的な幸福を男性の性的な幸福と同等のものにした。性的に満足していないときにも満足したふりをする必要はもうないのだと女性たちに告げるフェミニズムは、男性にとって、その性的な不十分さを明らかにされる、という点で脅威となった。

こうした脅威を取り除くために、性差別主義者の男性たちは、フェミニストはほとんどがレズビアンだとか、フェミニストの女が正気に戻るために必要なのは「男とのいいセックス」だ、などと言いつづけてきた。フェミニズムの異議申し立ては、現実に、家父長主義的な関係のなかで、多くの女性たちが男性と満足のゆくセックスをしていないことを暴露した。ほとんどの男性は、親密な男女の関係において、女性がよりセックスに熱心になるような女性のセクシュアリティにおけるフェミニズム的な変化は歓迎したが、男性の性的行動を変えるべきだという要求はあまり歓迎しなかった。フェミニズムが異性愛のあり方を最初に問題にしたとき、よく議論された問題に、セックスの際に前戯がない、ということがあった。異性愛の女性たちは、したくないときにも男性がセックスを強要することや、女性の性的な歓びに関心を払わないことにうんざりしていた。フェミニズムは、女性の性的な歓びに焦点をあてることで、女性たちが男性の性的行動を批判し、それに異議を申し立てるための言葉を与えたのである。

性的な自由の問題について、女性たちは大きな前進をなしとげた。一人の相手とだけ性的な関係をもつ「一夫一婦制」にたいする批判が聞かれなくなったのは、性感染症が拡がり、女性たちが複数の相手と性的関係をもつことがむずかしくなったためである。エイズのように生命にかかわる性感染症が蔓延《まんえん》し、こうした病気は、男性から女性への感染の可能性がより高いために、男性が女性に嘘をつくことを奨励する家父長主義的な文化のもとでは、異性愛女性がたくさんの性的パートナーをもつことはむずかしくなった。家父長主義のもとで、異性愛関係における一夫一婦制が強調されれば、カップルの男女が性差別的な規範を打ち破ることはよりむずかしくなるのは明らかだ。同時に、家父長主義のもとでは、一夫一婦的でない関係はしばしば女性を不利な立場に立たせ、男性に力を与えるだけだということも、個々のフェミニストたちは見いだした。なぜなら、女性は、他の女性をパートナーにしている男性とセックスすることを平気で選ぶのに、男性は、パートナーのいる女性には性的な興味を示さないことが多いからだ。あるいは、男性は、相手の女性のパートナーである男性の力を認め、ときにはその女性と関係をもっていいかお伺いをたてることすらあるからである。こうしたさまざまな困難はあるものの、女性たちが一夫一婦制に縛られない性的な自由を手にしたことは、その自由を行使するかどうかは別として、女性のからだは男性の所有物であるという考えを打ち壊し、それに反対しつづけるものとしてある。そのことは、性的な歓びについての性差別的な考えを、フェミニズムが批判したことでもたらされたすべてのよい変化と同じく、女性も男性もより満足できる性的な関係をもてるような世界を創る助けとなっている。

運動が始まったころ、性的な関係の変化はその他の家庭内での変化をも促し、男性は家事や育児の平等な分担をするようになるだろうと思われた。今では、非常に多くの男性が、実際にやるかどうかは別として、家事をすべきだと自覚しており、若い女性たちはもはや家事の分担など問題にする必要がないと思っている。家事を分担することは当然の決まりだと思っているのだ。もちろん現実には、それが当然の決まりになったことは一度もないし、ほとんどの場合、女性はいまだにほとんどの家事や育児をやっている。一般的にいって、男性たちはベッドでの平等はすすんで認め受け入れても、家事や育児についての平等を認めることには熱心ではない。女性たちも、個人的に階級的権力を手にすると、当然のように、自分も男性のパートナーもやりたくない家事は家政婦を雇ってやらせるという別の不平等を行使した。だが家事に関して異性愛のカップルがお金を払うとき、性差別的な考えでは「女性がやるべきこと」と定義されている仕事をやってもらうために家政婦を雇うのも監督するのも、だいたいは女性の役目である。

フェミニズムは、女性の人生の唯一の目的は母親になることだ、という考え方を批判したが、このことほど、結婚のあり方やパートナーの関係を変えたものはない。女性の価値はもはや子どもを産み育てるかどうかでは決まらないということになったとき、二人とも仕事をもち子どもは欲しくないというカップルが、対等な結婚、つまり対等な二人のあいだの男女関係を思い描くことが可能になった。子どもがいないと対等な関係でいやすいのは、家父長主義的な社会では、ある種の仕事は母親によってなされるものだということが自動的に想定されており、それが女性の足を引っ張って、育児をめぐるジェンダー的な平等の実現を困難にしていることが多いからである。そうしたことをよく物語る例として、フェミニズム運動が始まると、かつては母乳育児をあまり奨励していなかった家父長主義的な医学界が、突如として母乳育児をすすめ、あまつさえそれこそが最善だと主張した事例がある。これなどは、育児のなかで、その女性が異性愛であれレズビアンであれ、産む性としての女性に自動的により多くの責任を負わせる一例である。たしかに、男性と関係を結ぶ女性たちがよく直面するのは、赤ん坊が生まれると二人の関係が急に変わって、性差別的な役割に戻ってしまった、ということだ。しかし、二人があらゆる面での平等、とりわけ育児に関する平等を維持するよう努力すれば、対等な関係はきっと実現できる。問題はただ、がんばる気持ちである。そして、ほとんどの男性は、がんばって育児をしようという選択をしてこなかった、ということなのだ。

フェミニズムが積極的に注意を喚起してきたのは、男性が育児をすることが、子どもの幸せにとってもジェンダーの平等にとっても重要であるということだ。男性が育児に平等に参加すれば、男女の関係は、結婚している場合も同棲している場合も別居している場合も、ずっとよくなる。フェミニズム運動のせいで、より多くの男性が以前より育児をするようになったが、ジェンダー的な平等はまだまだ形すら達成できていない。だがわたしたちには、こうした平等な参加によって、育児が、それに関わるだれにとってもより肯定的で満ち足りた体験になっていることがわかっている。もちろん、共働きの親たち、とりわけ男性は、仕事が忙しいために育児への参加を妨げられることがよくある。労働が時間で決められるあり方に決定的な変化が起こるまで、育児の時間や余裕をもてる人生設計が男性に可能な世界に生きることはできないだろう。そんな世界では、男性たちはもっと育児に熱心になるにちがいない。だが、それまでは、過労の上に低賃金の労働者男性は、女性が子どもの世話をすることを、たとえその女性もまた過労と低賃金であっても、諸手をあげて歓迎するだろう。白人至上主義的で資本主義的な家父長制における労働の現実は、女性が子どもの面倒を十分にみることを以前よりも困難にしている。実際、こうした現実は、仕事をしたいと思う女性にも、家にとどまる選択をさせている。女性たちを職場から追い出し再び家庭に戻しているのは、男性中心社会の性差別的な考え方であるよりも、「親のいない」子どもたちを育てるという不安なのである。競争にしのぎを削る仕事優先の考え方では、愛情にみちた関係を育む時間がほとんどないことに、多くの女性が気づいている。男性が育児に専念するために仕事をやめることを、だれも語らないが、この事実は役割についての性差別的な考えがはびこっていることを示している。わたしたちの社会のほとんどの人が、今でも、女性は男性より子育てが上手だと信じているのである。

女性たちは多くの場合、一方で母親業に文句を言いながら、他方ではそれが与えてくれる特別の地位と特権を享受してきた。とりわけ、親と子の絆という点になると、女性たちは、フェミニストの希望とは裏腹に、育児における誇りある地位を男性に明け渡そうとはしなかった。フェミニストのなかにも、他のさまざまな分野では生物学的決定論[*1]を批判しながら、こと母親業の問題になると生物学的決定論をよしとする者が多かった。こうしたフェミニストたちは、父親も母親とまったく同じように重要であり、同じように育児ができるという考えを心から認めることができなかった。フェミニストのこうした矛盾した態度が、性差別的な考えが圧倒的に存在していることとあいまって、育児についてのジェンダー的な平等というフェミニズムの要求に水をさしてきたのである。

　近頃のマスメディアは、結婚人気が戻ってきたと、繰り返し繰り返し宣伝している。結婚がすたれたことなどはない。結婚人気が戻ってきたと世間が言うとき、その意味するところは、より性差別的な意味での結婚がまた「うけている」ということなのだ。この事実はフェミニズム運動を困惑させている。というのも、性差別的な土台のうえに築かれる結婚は深刻な問題をはらみ長続きしない傾向にあることは、今も、昔と同じくらいはっきりしているからである。今や、昔ながらの性差別的な結婚がますます流行っている。そしてそれらは、夫婦関係に、かつてのフェミニズム的な反乱のきっかけとなったような悲惨や不満の種を蒔《ま》いている。ただ同時に、昔とは異なった要素もあって、それは関係がしばしば早く壊れることである。人々は若いうちに結婚し、若いうちに離婚する。

結婚とパートナー関係における家父長主義的な男性支配は、わたしたちの社会で、結婚の破綻と離婚を生み出す主な根源である。成功した結婚についての最近のあらゆる研究が示すように、ジェンダー的な平等こそが、カップルのどちらもが肯定されるような状況をつくる。この肯定感はより大きな幸せにつながり、たとえその結婚が永続しなかったとしても、二人の絆の土台となった対等な友情はつづく。将来のフェミニズム運動においては、家父長主義的な結婚への批判に多くの時間を費やすよりも、それとは違うあり方を見せたり、対等な関係の重要性を示すことにもっと力を注ぐべきだ。そうした対等な関係は、平等と尊敬を基本になりたち、充実した長続きするパートナー関係のためには互いの満足と成長が必要だ、という信念にもとづいている。

訳注

＊1　男女間の生物学的な差異が社会的な役割を決定するという観念。こうした考えはしばしば、女性に性差別的な性役割をおしつける土台となってきたため、フェミニズムの批判をあびてきた。

15　フェミニズムの性の政治学　互いの自由を尊重する

フェミニズム運動が起こる以前、そして、性の解放が叫ばれる以前には、女性が健全な性的主体性を主張することは、まったく不可能ではなかったにしても、非常にむずかしかった。性差別的な考えによって女性は生まれてからずっと、性的な欲求をもったり性的な快楽を求めることは男性だけに許され、女性が性的に相手を求めそれをあらわにするのははしたないこと、あるいは堕落した女性のすることだ、と教わる。女性は、性差別的な考えによって「聖母か娼婦」にその役割を二分され、健全な性的主体性を形成する土台をもつことができなかったのだ。フェミニズム運動がただちに、こうした性をめぐる性差別的なステレオタイプに異議を唱えたのは幸運だった。この異議申し立てが、この国の歴史上初めて、だれもが確実性のある避妊方法を手に入れられるようになったのと時を同じくして起こったことも、大きな助けとなった。

確実性のある避妊方法ができる以前は、女性の性的な自己主張はつねに、望まない妊娠と違法な中絶の危険性という「罰」を覚悟しなければならなかった。確実性のある避妊方法ができるまでに、女性たちが耐え忍んできた性にまつわる病気や苦痛やおそろしい出来事について、全世界の人々にちゃんと知らせるような証言集は、まだない。女性がセックスをするたびに妊娠の危険を背負うような世界、そして、男性がセックスを求めるたびに女性が不安を感じるような世界を想像するだけで、わたしはぞっとしてしまう。そういう世界では、性的な欲望を感じる女性は、欲望と不安の板挟みになるだろう。女性たちが、どのようにしてセックスを求める男性の攻勢をかわしてきたか、結婚生活のなかでの強かんに対処してきたか、死の危険をも冒して望まぬ妊娠を処理してきたかを物語る証言集も、十分とは言えない。ただ、わたしたちにわかっているのは、フェミニズムの性革命の到来によって、女性のセクシュアリティの世界は未来永劫変わった、ということである。

わたしたちは、セックスにまつわる母親たちの痛みや悲しみを目の当たりにし、彼女たちにとってはセックスがまったくの恐怖と嫌悪でしかなかったことを見ながら、ちょうど性的に目覚める年頃でフェミニズム運動に参加した。それだけに、自由にふるまい歓びを感じてもいいのだと言ってくれる運動に参加する感動はひとしおだった。現在では、女性が自分の性的欲求を表現することを妨げるものがほとんどないために、女性のからだとセクシュアリティにたいする家父長主義的な攻撃がかつてあったことを忘れ去ってしまうという、文化的な危機にわたしたちは直面している。こうした過去を忘れてしまっているために、中絶を非合法化しようとする潮流が、合法的中絶の廃止が女性のセクシュアリティにおよぼす破壊的な影響については論議せず、ただ生命を奪うことの是非を問うかたちで問題をとりあげることができるのである。わたしたちは今でも、性的な歓びを体験したことがない世代の女性たち、セックスとは喪失、脅迫、危険であり、魂の堕落を意味するものでしかないと思う女性たちに囲まれて生きているのである。

女性が性的に自由であるためには、確実で安全な避妊方法が必要である。それなしには、女性は、性的な行為の結果を完全に自分のコントロール下におくことはできない。だが同時に、女性が性的に自由であるためには、自分のからだについての知識や性的に誠実であることの真の意味を理解することが必要である。セクシュアリティをめぐって、初期のフェミニズムは、女性がいつでもだれとでも望む相手とセックスする権利の獲得を重視するあまり、性差別的でないやり方でわたしたちのからだを尊重することや、真に解放的なセックスとはどんなものかを伝え、批判的意識を育てるような教育をほとんどしなかった。

一九六〇年代の終わりから一九七〇年代の初めにかけて、女性たちはしばしば、性的な自由と性的な放埓《ほうらつ》とを同一視するよう求められた。これはある程度現在でもあてはまることだが、その当時、多くの異性愛男性が性的に解放された女性と見なしたのは、面倒臭いことをいっさい言わずに、つまり、何かを欲しがったり、とくに感情的な絆を求めたりせずに、セックスする女性だった。そして、同じまちがった考えを、多くの異性愛のフェミニストたちももっていた。それは彼女たちが、家父長主義的な男性によって与えられたモデルを手本にしていたからである。だが、女性たちが性的な放埓と性的な解放とは同じでないことを悟るのに、それほど時間はかからなかった。

フェミニズム運動が「最盛期」にあったとき、ラディカルなレズビアンのフェミニストたちは、レズビアンでない女性にたいして、男性とのつきあいを考え直すよう繰り返し求め、家父長制的な構造の下で異性間の解放されたセックスが可能なのか、という問題を提起した。この問題提起は、運動にとって意味あるものだった。それは、異性愛の女性に、異性愛における性的行為について批判的な視点をもちつづけるよう求めただけでなく、レズビアンの存在を、その力強さも弱点も明らかにするようなかたちで、焦点化したからである。当時、「フェミニズムは理論、レズビアニズムは実践」というスローガンはよく知られており、このスローガンに誘われて、男性との関係を絶ち女性を選んだ女性もいた。そうした女性たちがまもなく知ったことは、女性同士の関係も、その他の関係と同じように、精神的につらく、むずかしくて壊れやすい、ということだった。

レズビアンのパートナー関係が、異性愛の関係と同じくらい、あるいはそれよりもっとよいものになるかどうかは、二人が同性だということで決まるわけではない。それを決めるのは、二人が、どんな性愛関係にも支配する側とされる側があり一方が上位に他方が下位にたつべきだとする、支配の文化を反映した恋愛やパートナー関係についての考えを打ち破る努力を、どれくらいしているかなのである。レズビアンのあいだの、誰とでもセックスするような傾向は、異性愛者のそうした行動と同様、性的な解放と同一視されるべきではない。だが、この二つを同一視することで感情的に傷ついた女性たちは、同性愛者も異性愛者も、セックスに幻滅してしまった。そして、男性支配と性暴力が関連しているなかで、自分たちが体験した性的な不幸についてもっとも強く主張したのが、男性とつきあってきた女性たちだったことはふしぎではない。

フェミニストのなかには、性の自由を夢見て幻滅した結果、自分自身の体験や女性の友達や運動の仲間が直面した苦い結末に背を向けるようにして、フェミニズム運動に参加してきた女性たちがいた。そうしたフェミニストたちは、あらゆる性的な行為、とりわけ男性とのセックスについて、心の中に強い怒りと憤りをいだいていた。それまでは、ラディカルなレズビアンが、女性たちに向かって「敵と寝ている」わけを説明するように迫る唯一の声だったのが、そこに、男性との関係にまったく幻滅したために同性との絆を選ぼうとする異性愛の女性たちが加わることになった。突如として、セクシュアリティについて、とりわけセックスについてのあらゆる論議の方向が、男女間のすべてのセックスは性的強制であり、男性が女性にペニスを挿入すればそれはすべて強かんである、といったふうになってきた。しばらくのあいだ、こうした理論とそれを告げるカリスマ的なフェミニストたちは、それまでと違う新しい性的なアイデンティティを模索していた若い女性たちの考え方に強い影響を与えた。こうした若い女性たちの多くが、バイセクシュアル（両性愛）になることを選んだ。また、男性との関係を選ぶものの、いつどういうふうにセックスするかを決めるのは女性の側である、という合意を結ぶ女性もいた。しかし、圧倒的多数の若い女性たちは、ただフェミニズムの考えに背を向けた。そして、フェミニズムに背を向けた若い女性たちは、ときとして、フェミニズムにたいする復讐のように、昔ながらの性的自由に舞い戻り、それを受け入れた。

そのころ、性的な歓びと危険、性的な自由と束縛をめぐる議論が白熱し、その結果ひき起こされた矛盾と衝突のなかから、フェミニズムが、誘われるままに、SM（サド・マゾヒズム）的な性行動についての突出した論議へとすすんでいったのは、けっして驚くべきことではなかった。セクシュアリティについてのフェミニズムの問いかけは、結局のところ、すべてが権力の問題に結びついていた。フェミニズムの思想家たちは多くの言葉を費やして平等について語ったが、性的な欲求や性的な情熱ゆえの行為の問題になると、性の領域での権力を持つ者と持たない者という関係は、だれが抑圧者でだれが被抑圧者かといった単純化された考えを粉々に打ち砕いてしまったのである。フェミニストのレズビアンたちのSM的なセックスが明るみに出されたことほど、異性愛の男女のセックスにたいするフェミニズムの批判の土台を揺るがしたものはなかった。というのも、SM的な性行動とは上下関係をよしとする世界であり、そこでは、権力を持つ者と持たない者の存在が容認されているからである。

SM的な性行動をしながら解放された女性であることができるのかどうか、という問題をめぐって、運動内部の女性たちが、レズビアンも異性愛者も含めて論争を始めたとき、セクシュアリティをめぐるラディカルなフェミニズムの論議は、事実上終わりをつげた。この問題と関連していたのは、家父長主義的なポルノグラフィーの意味と役割をめぐる意見の対立だった。[*1] これらの問題は、フェミニズム運動を分裂させ混乱させるのに十分なほど強いインパクトをもっていたが、こうした問題に直面して、一九八〇年代の終わりには、セクシュアリティについてのもっともラディカルなフェミニズムの論議はもう一般には公開されなくなった。論争は内輪だけで行われた。それまでに行われたセクシュアリティについての公の論争は、フェミニズム運動を孤立させてしまったのだった。

なおもセクシュアリティについて熱心に語っているフェミニストには、保守的な考えの女性たちが多くなり、清教徒的でセックスに反対するような主張が多くなっていった。運動は劇的に変化した。そこは、女性の性的な解放が要求され謳歌される場ではなくなり、セクシュアリティについての論議は、性暴力とその被害者としての女性に焦点をあてたものに変わっていった。フェミニズムの主流をなす年配のフェミニストたちは、そのほとんどがかつては女性の性的な自由を求めて声をあげていたのに、今ではセックスなしでも平気で、性的な歓びは重要ではないと言いはじめていた。次第に、性的な欲求やセックスについて公然と語ったり書いたりしている女性たちには、フェミニズムの性の政治学を否定したり、それとは距離をおくような傾向が見られるようになった。そして今、フェミニズム運動はかつてないほど、基本的にセックス反対であると見なされるようになっている。洞察力にあふれたフェミニストたちは性的情熱や歓びについて語ってきたが、そうした論議は片隅に追いやられ、ほとんど無視された。そうしたなかで、女性も男性もいまだに、性的な自由についての家父長主義的なモデルに依拠しつづけているのである。

性革命とフェミニズム運動にもかかわらず、わたしたちにわかっているのは、多くの異性愛女性がただ男性の求めに応じてだけセックスをしていることであり、若い同性愛の男性や女性が、自分たちの性的指向を肯定され支えてもらえるような環境を公的にも私的にも手にしていないことである。「聖女か娼婦か」の性差別的なイメージが男性や女性のエロスをかきたてるイメージでありつづけ、今では家父長主義的なポルノグラフィーがマスメディアのあらゆる場面に浸透している。望まない妊娠が増えつづけ、ティーンエイジャーたちはしばしば性的な満足を知らないまま、安全でないセックスをしている。そして、同性であれ異性であれ、結婚生活が長い夫婦やパートナーのあいだでは、女性はセックスをしていない。こうしたすべての事実は、セクシュアリティについての新しいフェミニズムの対話の必要性を告げている。解放されたセックスとはどんなものなのか、わたしたちには今でもわかっていない。

基本的に言えるのは、解放的なセックスにとって不可欠なのはお互いを尊重し合うことであり、また、性的な歓びや満足は、それぞれの選択と互いの合意という条件の下でこそ最高に得られるものだということである。家父長主義的な社会にあって、男性も女性も、性差別的な考えを脱ぎ捨てないかぎり、いつまでも続くような異性愛のセックスの至福を知ることはできない。多くの女性や男性は、男性のセックスはペニスが硬くなり勃起が継続するかどうかによってのみ決定されると、いまなお思っている。男性のセックスについてのこうした考えは、性差別的な考え方と結びついている。男性は、女性のセクシュアリティは男性の欲求を満足させ、男性に奉仕するためにあるといった性差別的な思い込みをなくす必要があるが、他方、多くの女性も、セックスとはペニスの挿入であるという固定観念をなくさなければならない。

性解放とフェミニズム運動の最盛期に、女性たちが見いだしたのは、男性はさまざまな点で平等を受け入れるが、セクシュアリティをめぐる領域だけは別だ、ということだった。多くの男性は、寝室で、セックスに積極的で自分から歓びを与え分かち合おうとする女性を求めはしても、女性の性的な行為（つまり、彼女が性的であることを欲するかどうか）は男性の欲求によって決められるべきだという性差別的な思い込みについては、最終的に放棄しようとしなかった。積極的にその気になっている解放された女性とセックスするのは楽しいが、そうした女性たちが性的でない時と場所を求めたらそれは楽しくない、というのだ。そういうときに、異性愛の男性がしばしば行動で示したのは、男性はどこでも性的な欲求を解き放ち、女性のからだの支配権という性差別的な規範に今なお忠誠を誓っている現実を再強化するような行動をとるべきだ、ということだった。それは同時に、どんな女性のからだでもよいと考えていることの表明でもあった。解放的な異性愛や同性愛の関係にあっては、どちらも、いかなる苦痛を受ける不安もなしに、いつ、どれくらいの頻度で性的でありたいかを自由に決めることができなくてはならない。自分自身でないだれかが自分の性的欲求に応えるべきだと思うことを、すべての男性がやめないかぎり、パートナーに性的な従属を求めることはなくならないだろう。

具に解放的なフェミニズムの性の政治学において、中心となるのはつねに、女性の性的主体性の主張である。こうした性的主体性は、自分の性的身体がいつもなにか他のものに奉仕するために存在すべきだと女性たちが信じるかぎり、手にすることはできない。プロの売春婦にしろ一般女性にしろ、自分の性器を物やサービスと自由に交換することを、自分たちが解放されている証しであるかのように主張することがよくある。そういう女性たちが見ようとしないものは、女性がその他の方法では物質的な必要を満たせないために自分のからだを売るとき、その女性は、自分のからだを管理するという、性的な誠実さにかかわる空間を喪失する危険を冒しているのだ、という事実なのである。

大多数の異性愛女性はいまなお、自分たちのセクシュアリティが意味や価値をもつためにはつねに男性に求められていなければならない、という性差別的な思い込みから自由になっていない。そうした思い込みから自由になるために女性たちが信じなくてはならないことは、同性間のセックスや自慰やセックスなしで暮らすことが、男性とのセックスと同じくらい、生き生きとして人生を高めるものだということである。中高年の女性たちは、かつてはその多くがフェミニズムによる変化を歓迎したはずなのに、男性とセックスしようとする段になると、男性たちが若い女性に乗り換えようとしているのではないかと恐れ、性差別的な女らしさやセックスアピールに賛同しなくてはならないと思う者が多い。そういうことを見ると、ラディカルなフェミニストたちが何年もまえに、女性は、男性の欲求の対象であろうがなかろうが自分には性的な価値や主体性があると確信できるようになって初めて真に性的に解放される、と言ったことはある意味で正しかったのだ。ここでもまたわたしたちは、いまなお深く家父長主義的である社会のなかで、性的な感情やアイデンティティをいかに主体的に表現したらよいかを示してくれるフェミニズムの理論を、必要としているのである。

セクシュアリティについてのフェミニズムの言論には限界も問題もあるが、それでもなおフェミニズムは、互いが幸福になれるような理想の世界を、その理論と実践によって創ろうとする唯一の社会正義のための運動である。わたしたちはエロス的存在としての自分を必要としている。それは、わたしたちには、自分をつき動かす魂の源としての性的な欲求を表現する権利があり、また、性的な歓びのなかに人生を豊かにする精神を見いだす権利があるという原則のうえに形づくられるものだ。エロス的な関係は、わたしたちを孤立と疎外から引き離し、共同体へと導く。性的に相手を求める気持ちをポジティブに表現することがわたしたちを結びつけるような世界では、わたしたちの成長を肯定し慈しむような性的実践を、自由に選ぶことができるだろう。そうした性的実践には、誰とでもセックスすることからだれともセックスしないことまでの選択の幅があり、また、ある特定の性的アイデンティティや性的指向を謳歌することから、性や人種や階級やときには性的指向をも超えて、エロス的な認識の閃光を感じる特定の個人とセックスしたり性的な関係を結んだりすることによってのみ燃える、あてどのない欲求の旅を選ぶことまでが含まれている。性的な自由をめざす運動が再び始まるためには、セクシュアリティについてのラディカルなフェミニズムの対話が再びみんなの目にふれる必要があるのだ。

訳注

＊1　一九八〇年代前半、アメリカでポルノグラフィーに反対する女性たちの運動が起こった。アンドレア・ドウォーキンとキャサリン・マッキノンらを中心とする女性たちは、ポルノグラフィーこそ性暴力を煽り女性を抑圧する元凶であるとして法的規制を求めたが、これにたいして、性差別的なポルノグラフィーには反対しながらも国家による検閲にも反対するフェミニストたちが反論、ポルノグラフィーの意味やセクシュアリティの問題をめぐり、また検閲の是非をめぐって、フェミニストたちのあいだには激しい論争がまき起こった。〔なお「ポルノグラフィー論争」とその意義については、拙稿「女性・メディア・ポルノグラフィー」（『女性学研究』第5号、勁草書房、一九九九年）を参照されたい。〕

16　完全なる至福　レズビアンとフェミニズム

女性解放と性解放の運動のいったいどちらが先だったのか、判然としないことがある。というのも、ふたつは同時に始まったし渾然一体となって進んだ、と感じるフェミニストもいるからだ。フェミニズム運動の最初の前衛部隊の一翼を担ったバイセクシュアルやレズビアンの女性たちは、きっとそう言うだろう。こうした女性たちがフェミニズムに参加したのは、レズビアンだったからではない。レズビアンの大多数は保守的で、政治的でもなければ、過激なことをしたいとも思っていなかった。女性解放運動の最前線でがんばったバイセクシュアルやレズビアンの女性たちがフェミニズムに参加したのは、それ以前から左翼的で、階級と人種とセクシュアリティの厚い壁に闘いを挑んでいたからなのだ。伝統的なジェンダーと性的欲求のあり方に反抗していた彼女たちにとって、女性の解放は、心のなかではとうに取りあげられていた問題だったのである。

レズビアンだからフェミニストになるというわけではないし、レズビアンだからといって政治的になるわけでもない。搾取される集団の一員であることは、人をより多く抵抗に駆り立てるとはいえない。もしそうなら、すべての女性たちが（そのなかには、地球上のすべてのレズビアン女性が含まれる）女性運動に参加しているだろう。女性が左翼運動に関わるとき、そこにはふつう、体験に加えて自覚と選択という要素がある。さまざまな人生を歩んできたラディカルな女性たちが、社会主義運動や公民権運動や黒人左翼運動のなかに身を置き、そこでラディカルな考えをもつと同時に、女性ゆえに従属的な役割を強制されたとき、自分自身のための正義を獲得する闘いに立ちあがる機は熟した。そして起こったのが、フェミニズム運動だったのである。そのようにして運動に身を投じた女性たちのなかで、もっとも熱心で理想に燃えた勇敢な一団のなかに、多くのレズビアンの女性がいた。

フェミニズムに出会ったとき、わたしにはまだ性的な体験がなかった。わたしは十代だった。ただ、同性愛については、女性の権利について知る以前から知っていた。わたしが生まれて育ったのは、人種的に隔離された南部の厳格で狭量なキリスト教社会だったが、そうした黒人社会では、だれが同性愛者かはみんなが知っていて、良くも悪くも独特の地位を与えられていた。そういう人たちには、お金持ちも多かった。男性の同性愛は、女性の同性愛よりも認められていた。黒人だけが暮らすわたしたちの小さな町では、レズビアンの女性たちはだいたい結婚していた。それでも彼女たちは、秘密のバーやパーティなどで、自分がレズビアンであることを密かに知らせた。みんなからレズビアンだと陰口をきかれていた女性の一人は、わたしのよき助言者となってくれた。彼女は職に就いており、読書家で思想家で、同時に楽しいことが大好きで、わたしの憧れの女性だった。彼女が「変な女」だという理由で、父親がわたしたちのつき合いに文句を言ったとき、母親はそれに抗弁して「だれだってありのままの自分でいる権利がある」と言った。わたしたちの家の向かいに住んでいたゲイの男性が、十代の少年たちにからかわれ嘲笑されたときにも、母親は出ていって立ち向かい、あの人はちゃんとした人だよ、とわたしたちに言い聞かせた――だからあの人を尊敬し、大切に思わなくてはいけないよ、と。

　フェミニズムという言葉を知るずっと以前から、わたしは同性愛の権利の支持者だった。わたしの家族は、後年、わたしが一生結婚しないのではないかと心配したが、それ以前の心配といえば、わたしがレズビアンになるのではないか、ということだった。そしてわたしはと言えば、小さい頃からもう、根っからの変わり者になるんだと心を決めていた。というのも、それが何であれ、自分の心のおもむくところへ行くだろうと、わたしにはいつもわかっていたからだ。最初の本『私は女じゃないの？――黒人女性とフェミニズム』を書いたとき、わたしはすでにフェミニズム運動に関わっていたが、そこには、同性愛でない《ストレート》女性もバイセクシュアルの女性もいれば、同性愛者であることを公表しているゲイの女性もいた。わたしたちはみんな若かった。しかもその頃は、女性たちとフェミニズムの政治を共有するだけでなく肉体的な関係をも共有することで、自分が本当にラディカルなフェミニストだと証明しなくてはならないというプレッシャーを感じている者もいた。ただ、性的なタブーを超えることで政治的に先進的になるわけではない、ということは、当時のみんなが学んだ教訓だった。わたしの本が出版され、何人かの黒人のレズビアン女性から非難されたとき、わたしはびっくりした。本にレズビアンのことを何も書いてないから、わたしは同性愛を嫌悪しているのだ、という非難だった。だが、わたしがレズビアンについて書かなかったのは、同性愛を嫌悪していたからなどではない。あの本では、セクシュアリティについては書かなかった。まだ書けなかったのだ。わたしは、まだよくわかっていなかった。もしもっとよくわかっていたら、わたしはそのことを書いただろうし、そうすれば、わたしに同性愛嫌悪などというレッテルを貼れる者はいなかっただろう。

物知りで力強くやさしいレズビアンの女性たちが、まだ少女だったわたしに教えてくれ、その後も伝えつづけてくれたのは、楽しく幸せに暮らすために、女性は男性に頼る必要はないのだ、ということだった――性的な喜びという点でも、男性に頼る必要はないのだ、と。こうしたことを知ることで、女性には無限の可能性が開ける。大きな選択の余地が与えられるのである。人生を共にしている男性に性的にも感情的にも満足しているかどうかとは別に、男性なしでも幸せな人生が送れることを想像できないという、ただそれだけの理由で、どれほど多くの女性たちが、横暴で性差別的な男性と関係をもちつづけているこ とだろうか。もしも女性が、自分自身よりも上にある何かに、自分の存在価値を認め正当化してもらう必要を感じているとしたら、彼女はすでに、自分で自分を定義し主体的にふるまう力を手放そうとしている。レズビアンの女性たちは、ありのままの自分でいられる自由を主張する大切さを、まだ子どもだった頃からずっと、わたしに感じさせてくれたのである。

　こうしたことは、ラディカルなレズビアンのフェミニストたちがフェミニズム運動にもたらしてくれた知恵である。同性愛でない女性のなかにも、例外的に、男性に承認されたり男性によって性的に肯定されなくても全く満足していられることを、理論的にわかっている女性もいたかもしれないが、彼女たちは、そうした信念を生きた体験として運動にもちこみはしなかった。フェミニズム運動の初めの頃、わたしたちは、「女性と同一化する女性[*1]」か「男性と同一化する女性」か、という言葉を使って、フェミニズムの活動家たちを区別した。レズビアンではないが「女性と同一化する女性」とは、その存在が本質的に男性の承認に依拠していない女性、を意味していた。「男性と同一化する女性」とは、ロマンチックな異性愛的関心を抱いたとたんに、フェミニズム運動を離れていくような女性たちだった。そういう女性たちはまた、女性よりも男性を支持し、いつも物事を男性の視点から見る女性たちでもあった。サンフランシスコの大学で女性学を教え始めたとき、わたしは、ラディカルなレズビアンの学生たちに「なぜ今でも男性とつきあっているのか」と詰問された。ある日、授業が終わって駐車場に行くと、学生たちが待ち構えていた。そのとき、わたしのフェミニストとしての名誉を守ってくれたのは、わたしより年上の黒人のレズビアンの学生だった。彼女は性産業で働いたことがあり、自分がレズビアンだとはっきり知りつつも多くの男性と性行為を行った体験をもっていた。彼女はこう言った。

「この人は男性とセックスはしても、『女性と同一化する女性』だ。男性とセックスすることは彼女の権利。そして、それでもりっぱにフェミニストなの」

一九八〇年代半ばになると、多くの女性たちが運動から去っていくなかで、なおもフェミニズムに関わりつづけるかどうかが、フェミニストのあいだでの討論の中心テーマになった。洞察力にあふれたレズビアンの思想家や活動家たちは、フェミニズム運動のラディカルな側面を形づくってきたが、女性がより多くの権利を獲得するようになると、その存在や努力はしばしば忘れ去られた。運動のなかでもいちばんラディカルで勇敢だったレズビアン女性の多くが、労働者階級の出身だった。そのために、彼女たちは、学問世界でのしあがってゆくのに必要な資格を持っていなかった。フェミニズムが学問化するとともに、異性愛至上主義的な権力構造が再強化されていったが、そこでは、ご立派な資格を持った異性愛の女性たちが、大学の外で女性運動に関わった経験をまったく持っていなくても、より多くの尊敬と注目を集めることが多くなった。

女性のあいだの違いが問題になり、フェミニズムの理論と実践を人種や階級の問題を含むものにしてゆくことが課題になったとき、自分の見解を変えることに熱心にとりくんだ女性たちのなかに、レズビアンのフェミニストたちもいた。それは彼女たちが、多数派の基準に合わないという理由で搾取され抑圧されるとはどういうことか、多くの場合、体験から理解していたからだった。洞察力にあふれたレズビアンのフェミニストたちは、レズビアンでないフェミニストよりも、白人優位主義を問い直すことにずっと熱心だった。しかも彼女たちは、すべての男性との連帯の絆を強めようともした。異性愛女性の場合には、フェミニストであろうがなかろうが、その圧倒的多数がより関心をもつ男性との絆とは、恋愛関係だった。

ラディカルなレズビアンの女性たちが同性愛者の権利と女性の権利のために闘ったことで、わたしたちが女性として誰を愛し、誰とからだを合わせ、誰と生活を共にするかを選ぶ自由は大いに促進された。フェミニズム運動において、かつてもそしてまた現在も、レズビアンの女性たちはつねに同性愛嫌悪に直面し、それと闘わなくてはならなかったが、それは、性的指向や性的アイデンティティにかかわらずすべての有色の女性たちが人種差別と直面し、闘わなくてはならなかったのと同じだった。同性愛への偏見をもちながらフェミニストを自称する女性たちは、白人至上主義的な考えをもちながら女性同士の連帯《シスターフッド》を求める女性たちと同じく、フェミニズムをまちがった方向に向かわせる偽善者なのだ。

主流のマスメディアがフェミニズム運動の代表として選ぶのはつねに、レズビアンではない女性だった——レズビアンでなければないほどよい、と言わんばかりに。その女性が美人であればあるほど男性受けがよいので、選ばれた。「女性と同一化する女性」たちは、異性愛であれ、バイセクシュアルやレズビアンであれ、男性からの称賛を得ることを人生の優先項目だと考えていない。だからこそわたしたちは、家父長主義にとって脅威なのだ。レズビアンであっても家父長主義的な考えにこり固まっている女性は、男性にとって脅威ではない。それよりも、家父長主義的で性差別的な男性に目もくれず欲望も抱かないフェミニストの女性――同性愛であれ異性愛であれ――の方がずっと、男性にとっては脅威なのである。

今日では、レズビアンの圧倒的多数は、レズビアンでない女性たちがそうであるように、ラディカルな政治運動と無縁である。フェミニズム運動を担っているレズビアンのフェミニストたちにとって、レズビアン女性も異性愛女性と同じように性差別的でありうるという現実を直視するのはつらいことだった。「フェミニズムは理論、レズビアニズムは実践」というような考えは、かつても今も現実によって、砂上の楼閣のようにつき崩されているが、その現実とは、白人至上主義的で資本主義的で家父長主義的な文化のなかで暮らしているレズビアン女性のほとんどが、パートナーとの関係を、異性愛女性が従っているのとまったく同じ支配と従属の規範のもとに築いている、ということである。どちらも相手に従属することのない、お互いが満足できるような関係をつくることは、レズビアン同士であっても、異性愛のカップルと同じようにむずかしい。レズビアンのカップルにもDVが起こっていることが明らかになったが、この事実は、女性同士のカップルにおいても、女性間の平等が自明のこととして成立しているわけではないと示している。また、SM的な性的行為を行っていると自ら明らかにしたレズビアンのフェミニストも、異性愛のフェミニストよりずっと多かった。

同性愛、異性愛を問わず、性に関して保守的なフェミニストたちは、かつても今も、支配と従属の性的儀式は、たとえ合意であっても不適当であり、フェミニズムの自由の理想を裏切るものであると見なしている。こうしたフェミニストたちは、自分の考えは絶対に正しいと主張し、すべての女性がもっとも満足できる性的実践を選ぶ権利を尊重することを拒絶したが、それは実際には、フェミニズム運動を弱める行為である。女性のなかには、二人の女性が性的に結ばれる行為について知りたいとも、また、自分が性的に女性を求めようともけっして思わないが、それでも、女性が選ぶ権利やレズビアンやバイセクシュアルである権利はつねに支持しようとする者がたくさんいる。同じような支持は、ほとんどの女性やほとんどの人々はけっしていいと思わないような性的行為をしようとするレズビアンや異性愛の女性にも与えられていい。レズビアンのSM的な性的行為にたいする保守的なフェミニストたちの批判の底流に流れていたものは、同性愛への嫌悪と偏見である。レズビアンは、世間に受け入れられレズビアンでない人々に安心してもらうためにつねに厳格な道徳律に従うべきであるかのように言うとき、その女性は、同性愛への嫌悪や偏見を表しているのである。もし、レズビアンでない女性たちもSM的な性的行為に参加していることをもっとオープンに語っていたなら、フェミニストたちの批判もきっと、それを基本的にレズビアンの問題であると見なしたときのように、容赦のない激しいものにはならなかっただろう。

同性愛への偏見や嫌悪と闘うことは、これからもずっとフェミニズム運動の一側面でありつづけるだろう。レズビアンでない女性によるレズビアン女性への軽蔑や差別は今なお存在しているが、こうしたことがつづくかぎり、女性のあいだのシスターフッドはありえないからである。未来への洞察力にあふれたフェミニズム運動では、レズビアンのフェミニストたちの努力は高く評価されている。ラディカルなレズビアンたちの努力なしには、フェミニズムの理論と実践が異性愛至上主義の壁を突き崩すこともなかっただろうし、すべての女性たちが、かつても今も、その性的指向やアイデンティティにかかわらず自由に思うまま生きられるような場をつくることは、できなかっただろう。この功績はこれからも認められ、大事にされるべきだ。

訳注

＊1　「女性と同一化する女性（Woman-identified woman）」は、感情的および／または性的に、男性よりも他の女性と関係を結ぶ女性たちを示す語として、一九七〇年にレズビアン・フェミニストのリタ・メイ・ブラウンが発表した論文の表題から生まれた。「女性と同一化する女性」は、男性との関係で自己定義するのでなく、自分や他の女性に注意を向け、女性たちとの関わりを大切にする。

17　愛ふたたび　フェミニズムの心

　女と男が愛について知りたければ、熱い心でフェミニズムを求めなくてはならない。というのは、フェミニズムの思想や実践なしには、愛の絆を創る土台もないからだ。フェミニズム運動が始まったころ、女性たちは、異性愛の男女関係に深く失望して女性解放運動に参加した。こうした女性たちの多くは、愛し合って結ばれ生涯幸せに暮らすという約束を信じて結婚したのに裏切られた、と感じていた。結婚すると男性たちは、すてきな王子様からあっという間に家父長主義的な家長に変身してしまったからである。こうした異性愛女性たちは、自分たちの苦い思いと怒りを、運動に持ち込んだ。同じような思いは、家父長主義的な価値観にもとづく愛の関係において報われないと感じていたレズビアンの女性たちにもあった。その結果、愛の問題に関していえば、運動の初めのころのフェミニズムの問題の取りあげ方は、ロマンチック・ラブへの執着をなくしたときにのみ女性は自由になれる、というものだった。

愛を求めることは誘惑の罠に落ちることであり、愛を利用してわたしたちを支配し、従属させようとする家父長主義的な恋人——男であれ女であれ——を恋してしまうことなのだと、コンシャスネス・レイジング（性差別についての意識を高める）の集まりでは言われた。わたしは、まだ男性との性体験もないときにフェミニズムに参加したので、女性たちが口にする男性への激しい憎しみと怒りに衝撃を受けた。それでも、そうした怒りがどこから来ているのかは理解できた。というのも、まだ十代だったときからわたしがフェミニズムを支持するようになったのは、父親が家で家族のみんなを支配していたことへの直接的な抵抗だったからだ。父は、軍人でスポーツマンで教会の役員をしており、稼ぎのよい一家の長だった。また、女道楽の絶えない人でもあった。父は、家父長主義的ルールそのものだった。わたしは母の悲しみをこの目で見、父に反抗した。母は、父からどんなにひどいことを言われても、あるいは暴力をふるわれても、けっして怒りを口にすることはなかった。

フェミニズムのコンシャスネス・レイジングの集まりに初めて参加し、母くらいの年の女性たちが自分の痛みや悲しみや怒りを口にし、女は恋愛なんかしてはだめだと繰り返し言うのを聞いたとき、わたしにはその意味がよくわかった。それでも、わたしはよい男性と恋愛をしたいと思ったし、わたしにはそういう愛を見つけることができると信じていた。ただ、絶対に確信していたのは、そのためにはまず、相手の男性がフェミニズムに心から賛同しなくてはならない、ということだった。一九七〇年代の初め、男性と共にいたいと願う女性は、男性をフェミニストに変えるという難題に直面していた。相手の男性がフェミニストでなければ幸せは続かないだろうと、わたしたちは知っていたからである。

家父長主義的な文化のなかで、ロマンチック・ラブは理性を曇らせ、人を無力でコントロールのきかないものにしてしまうと、ほとんどの人が考えている。恋愛についてのこうした考え方がいかに家父長主義的な男性と女性の利益に奉仕しているかを、フェミニストたちは鋭く指摘した。恋愛をこうしたものと考えると、人は愛の名によって何でもできることになる。つまり、相手を殴ったり、行動を束縛したり、ついには殺しておきながら、それを「情熱ゆえの犯罪」などと呼ぶことすらできるのだ。「彼女を愛しすぎていて殺すほかなかった」などというせりふとともに。家父長主義的な文化において、愛は、所有の概念や支配の構造と結びついている。愛とは服従であるとされ、そこでは片方はひたすら愛を捧げ、片方はただ受け取る。家父長制のもとでは、思いやりの感情があるジェンダーとしての女性は男性に愛を与え、その代わり、権力と攻撃性をもつ男性は女性を養い守る、ということを土台に、異性愛関係が形づくられている。だが、非常に多くの異性愛家族において、男性は、女性の思いやりと世話にちゃんと応えはしなかった。代わりに男性たちは暴君のようにふるまい、その権力を不正に使って、強制し管理した。フェミニズムの初めのころ、女性たちはそうした苦痛を終わりにするために女性解放運動に参加してきた――つまり、愛の絆を断ち切るために、である。

注目すべきなのは、その当時、子どものために生きないことの重要性についても強調されたことだ。子どもは、女性の自己実現を妨げるもうひとつの愛の罠であるとされた。当時のフェミニズムがわたしたちに警告したのは、母親というものは、子どもに自分の身代わりをさせようとする支配的で過干渉の怪物であり、残酷で不当な罰を行うものだということだった。フェミニズムに参加した若い女性たちには、支配的な母親に反抗している女性が多かった。わたしたちはそんな母親にはなるまいと思っていた。将来も母親とは違った人生を歩みたいと思っていたのである。確実にそうする道のひとつは、単純に子どもをつくらないことだった。

フェミニズム運動の最初のころ、愛についての批判はあまり複雑なものではなかった。フェミニズムは、愛についての家父長主義的で誤った考えを問いなおす代わりに、むしろ単純に愛を問題視した。女性たちは、愛から身を遠ざけ、その代わりに権利や力を手にすることに関心を払うべきだとされた。それではフェミニズムによる抵抗という名のもとに、女性たちはその心を石のように固くし、ちょうどわたしたちが嫌だと思っている家父長主義的な男性や男役のレズビアンと同じようになり果てる危険性があるということを、当時、口にする者はいなかった。そして、現実にはほとんどそのようになった。愛について再考し、その重要性と価値を主張する代わりに、フェミニズムはただ、愛について語ることをやめてしまった。愛を望む女性たち、とりわけ男性と愛し合いたいと願う女性たちは、愛を見つける方法を知るために、どこかよそへ行かなくてはならなかった。こうした多くの女性たちは、フェミニズムが、愛や家族の絆や他人と共に生きる人生の重要性を否定していると感じ、フェミニズムを離れていった。

未来への洞察力にあふれたフェミニストたちもまた、愛について女性たちに何を語ったらよいのかわからなかった。『フェミニズム理論――周縁から中心へ』で、わたしは、フェミニズム運動のリーダーたちがフェミニズムに愛の精神をもちこむ必要性を説き、「フェミニストたちは愛や共感を示し、行動を通じてこうした愛を見せることができる力、実りある対話を行うことができる力をもつべきだ」と書いた。だが、「愛こそが支配を変える」と思ってはいたものの、当時のわたしは、解放的な愛のヴィジョンをすべての人に告げるようなフェミニズム理論を創る重要性を、深く語りはしなかった。

振り返ってみると、フェミニズムが愛について、とりわけ異性愛の男女関係における愛について積極的に語らなかったことで、わたしたちは、家父長主義的なマスメディアがフェミニズム運動全体を、愛ではなく憎しみにもとづいた運動であるように描くことを許してしまった。男性と結ばれたいと思う多くの女性たちは、男性との絆を深めながらフェミニズム運動にかかわることはできないと感じた。実際には、わたしたちがすべきだったのは、女性や男性がフェミニズムによって愛を知ることができるような世界を拡げることだったのだ。今ではそれがわかる。

未来への洞察力にあふれたフェミニズムは、知恵と愛の政治である。わたしたちの政治学の魂は、支配をなくすことへの心からの賛同だ。愛は、支配や強制にもとづく関係からはけっして生まれない。ラディカルなフェミニストたちが、家父長主義的な愛の概念を批判したことはまちがいではなかった。だが、わたしたちが愛についての批判でまちがった方向に歩を進めてしまったとき、女性たちや男性たちは批判以上のものを必要としていた。つまり、必要だったのは、家父長主義的な愛の概念に取って代わる新しい愛のヴィジョンだったのだ。わたしたちの多くは私生活において愛にめぐり会いつつあったし、それらはフェミニズムの実践をふまえた愛だった。それなのに、わたしたちは、愛についての広範なフェミニズムの対話を創り出し、愛を敵視するフェミニズム内の潮流に焦点が当てられることに反対するような議論を、始めようとはしなかったのである。

わたしたちの新しいヴィジョンに脈打つものは、今なお基本的で必要不可欠な真実、すなわち、支配のあるところには愛は存在しえないという真実である。フェミニズムの思想と実践は、パートナー関係や子育てにおいて、お互いが成長し自己実現することの大切さを強調してきた。すべての人の必要が尊重され、だれもが権利をもち、従属させられたり虐げられたりする不安がないような人間関係のヴィジョンこそ、家父長主義的な人間関係のあり方のすべてと対決するものだ。わたしたちのほとんどは、親密で私的な生活での男性支配を体験してきたし、あるいは、これから体験するだろう。それは、男性の保護者や父親や兄からの、あるいはまた、異性愛女性にとっては、ロマンチックな関係でのパートナーからのものである。もし、女性も男性もフェミニズムの考えを受け入れ、それを実践するなら、どちらにとっても精神的な幸せが増すだろう。真のフェミニズムは必ず、束縛から自由へ、愛のない生活から愛にみちた生活へ、わたしたちを導いてくれる。パートナーとして互いに尊重しあうことは、愛の土台である。そして、フェミニズムこそは、たがいに尊重しあえるような状況を創ろうとする、わたしたちの社会におけるただ一つの社会運動なのである。

わたしたちが、真実の愛は相手を尊重し受け入れることから生まれると認め、また、愛は自覚や思いやり、責任や参加や知識と結びついたものであると認めるとき、愛はまた正義なしにありえないということもわかるだろう。このことを自覚するとき、次にわかるのは、愛にはわたしたちを変える力があること、愛は支配に抵抗する力をくれるということだ。だから、フェミニズムを選ぶことは、愛を選ぶことなのである。

18 フェミニズムとスピリチュアリティ

フェミニズムはずっと、スピリチュアルな実践の価値を認める抵抗運動であったし、これからもそうである。わたしは、フェミニズムの理論と実践に関わって、自己実現のために必要なのは自分を愛し受け入れることだという自覚に完全に目覚めたのだが、それ以前には、それと同じメッセージを伝えてくれたスピリチュアルな探究の道を歩んでいた。男性に支配された宗教の性差別主義にもかかわらず、女性たちは信仰に、慰めや避難の場を見いだしてきた。女性たちは、西洋社会で教会の歴史が始まったときからずっと、男性の干渉なしに神と共にいられる女性だけの場として、そして男性支配なしに神聖な奉仕に身を捧げられる場として、伝統的に修道院を選んできたのである。神話的な存在であるノリッジのジュリアンは、現代フェミニズム運動が起こるはるか以前に、スピリチュアルな鋭い洞察力と非凡な明察をもって、こう書いている。「われらが救世主はわれらが真の母である。母のなかでわれらは永遠に生まれ、母から離れては存在しえない」。救世主は唯一絶対的に男性であるという考えに大胆にも抗して、彼女は、聖なる女性神への回帰の道を説き、女性たちを家父長主義的な宗教の束縛から解き放つ助けとなったのである。

フェミニズム運動は、その当初から、家父長主義的な宗教を批判したが、それは強い影響を与え、この国の宗教的信仰のあり方を変えた。それは、形而上学にもとづく二元論（世界はつねに二つのカテゴリーに分類することで理解できるとし、そこには優れたものと劣ったもの、善と悪とがあるとする考え方）が、性差別や人種差別やその他すべての集団的な差別や抑圧のイデオロギー的な基礎となっていることを暴き、また、そうした考えが、ユダヤ教とキリスト教の信念体系の基礎を形づくっていることをも明らかにした。そこで、わたしたちの信仰のあり方を変えるために、改めてスピリチュアリティについて思いをめぐらす必要がでてきた。家父長主義的な宗教にたいするフェミニズムの批判は、新時代《ニューエイジ》スピリチュアリティに社会全体の文化的関心が集まるのと時を同じくして起こった。新時代スピリチュアリティを探究する人々は、長いあいだ西洋人の精神世界を支配してきたキリスト教の原理主義には背を向け、答えを求めて東洋世界に目を向けて、異なったスピリチュアルな伝統を探し求めた。罪と贖罪《しょくざい》という概念に根ざした家父長主義的なスピリチュアリティに取って代わったのは、森羅万象を尊ぶスピリチュアリティだった。女性たちは、ヒンズー教や仏教やブードゥー教などのさまざまなスピリチュアルな伝統のなかに女性の神々の姿を見いだしたが、それは、女性神を中心とするスピリチュアリティの世界への回帰を可能にするものだったのである。

フェミニズム運動の初期には、運動は政治だけに集中すべきであり、宗教についての見解は必要ないと感じる者と、それに反対する者とのあいだで対立が起こった。社会主義的な運動からラディカルなフェミニズム運動に参加してきた女性たちの大多数は、無神論者だった。彼女たちは、女性的な神性の世界に回帰しようとする傾向を、非政治的で感傷的なものと見なしたのである。だが、運動内のこの対立は長くは続かなかった。というのは、次第に多くの女性たちが、家父長主義的な宗教への異議申し立てと解放的なスピリチュアリティとは関係があると思うようになったからである。アメリカ合州国の圧倒的多数の市民は自分をキリスト教徒だと思っている。性差別と男性支配を容認するキリスト教の教義は、他のいかなる宗教的信念にもまして、この社会における性役割についてわたしたちが学ぶありとあらゆるやり方に浸透している。まさに、わたしたちの宗教的信念において変化が起きることなしに、わたしたちの文化のフェミニズム的な変革はありえないのだ。

創造的なキリスト教[*1]のスピリチュアルな目覚めは、フェミニズム運動と関連している。『原祝福』[*2]でマシュー・フォックスはこう述べている。「家父長主義的な宗教と宗教のための家父長主義的な規範は、三千五百年余りにわたって世界の人々を支配してきた。創造的なキリスト教の伝統はフェミニズム的である。こうしたスピリチュアリティにおいて、知識と支配に取って代わるものは知恵と愛である」。また、自然やエコロジーに関心をもつフェミニストと人権のために活動するフェミニストのあいだの対立にふれ、それは不必要な二元論であることを示している。

正義のための政治的運動は、宇宙《コスモス》的な調和をより完全に推し進めることの一部であり、自然は、人間がそこで自分に目覚め、自分のもつ変革の力に目覚める基盤である。解放運動とは、宇宙的な意味での調和やバランス、正義や祝福をいっそう推し進めることなのだ。それゆえ、真のスピリチュアルな解放は、宇宙にあるすべてのものを祝福し癒すための儀式を必要とするのであり、それが翻《ひるがえ》っては、個人における変革と解放となって頂点に達するのである。

解放神学*3では、搾取され抑圧された集団の解放は、神の意志に応える、信仰にとっての必要不可欠な行動だとしている。家父長制をなくす闘いは、神聖なる使命なのである。

原理主義的で家父長主義的な宗教は、フェミニズムの思想と実践が拡まるのを妨げてきた妨害物であり、いまなおそうである。実際、右翼的なキリスト教原理主義者以上に、フェミニズムを悪の権化のように敵視する集団はいない。かれらは、フェミニストの思想家、とりわけ女性の中絶の権利を支持する女性たちを殺せと主張し、その殺害を容認しているのである。初めのころ、フェミニズムがキリスト教を批判したことで、多くの女性たちが運動から去っていった。しかし、フェミニストのキリスト教徒たちが、新しい批判を展開し、創造的キリスト教にもとづいて聖書やキリスト教の教義についての解釈をはじめると、女性たちは、自分のフェミニズムへの支持とキリスト教徒としての生き方とを両立できるようになった。だが、こうしたフェミニストのキリスト教徒たちも、大衆的な運動をつくって大多数のキリスト教信者に語りかけ、フェミニズムとキリスト教信仰とを対立させて考える必要はないのだとわからせることには成功していない。それは、ユダヤ教や仏教やイスラム教を信じるフェミニストについても言える。そうしたことに成功するまで、組織された家父長主義的な宗教はつねに、フェミニズムの獲得した地平をおびやかすだろう。

当初、フェミニズム運動は人権や物質的な獲得物に力点を置き、スピリチュアリティの問題にはあまり関心を払わなかった。主流マスメディアも、フェミニズムの宗教にたいする批判には注目しても、フェミニストのさまざまなグループが体験したスピリチュアルな目覚めを伝えることには何の興味も示さなかった。その結果、大多数の人々は、フェミニズムとは宗教に反対するものだと思っている。実際には、フェミニズムは、家父長主義的な宗教思想の変革に手を貸し、そのために、より多くの女性が宗教との関わりを見いだし、スピリチュアルな生活を送ることができるようになったのである。

フェミニズムのスピリチュアルな実践が認められ受け入れられたのは、女性たちが、生まれ育った家庭や夫婦関係のなかで起こった家父長主義的な暴力によって受けた心の傷を癒そうとする、セラピー的な場であることが多かった。そして、多くの女性たちがスピリチュアルな探究を肯定されたのも、フェミニズムのセラピーのなかでだった。こうした魂の探究は個人的なものであるため、今ではフェミニストたちが、魂の探究やスピリチュアルな生活の必要性をどれほど認めているか、世間の人々は知らされていない。未来のフェミニズム運動においては、フェミニズム的なスピリチュアリティについて、もっとみんなに知らせるよい方法が必要だろう。

既存のものとは違ったスピリチュアリティの探究ができるようになったことで、多くの女性たちは、家父長主義的な宗教には反対だったり疑問を感じたりしていても、スピリチュアルな生活をつづけられるようになった。フェミニズム運動のせいで、制度化された家父長主義的な教会や寺院も変わってきた。だが近年、教会は、ジェンダー的な平等に向けて進めてきた歩みを止めはじめた。宗教における原理主義の台頭は、進歩的なスピリチュアリティを脅かしている。宗教原理主義は、不平等は「自然なこと」なのだと人々に信じ込ませるだけでなく、女性のからだの支配は必要なのだという考えを永続化する。それゆえ女性の性と生殖に関する権利《リプロダクティブ・ライツ》を攻撃するのだ。同時に、宗教原理主義は、セクシュアリティについての抑圧的な考え方を女性や男性に植えつけ、さまざまな形での性的強制を容認する。フェミニズムが既存の組織された宗教を問題にし、批判や抵抗をつづけることは、明らかにまだまだ必要なのである。

今では、フェミニズムの観点からみて肯定できるすばらしいスピリチュアリティの世界は豊かになったが、圧倒的多数の人々はこうした知識に接することができずにいる。こうした人々にとっては、家父長主義的な宗教がスピリチュアルな幸福を考える唯一の場なのである。家父長主義的な宗教は、マスメディアや家父長主義的なテレビ番組を有効に利用し、そのメッセージを広く世の中に伝えている。もしわたしたちが、家父長主義的な宗教が唯一の道であるという考えに反対なら、そういうものではないスピリチュアルな道について、同じように広く伝えなければならない。フェミニズム的なスピリチュアリティは、すべての人が古臭い信念体系に疑問をなげかけ、あたらしい探究の道を進む可能性を切り開いた。それは、神をさまざまな姿で描いたり、神聖な女性神への崇拝を復活させたりして、わたしたちがスピリチュアルな生活の重要性を認め、再肯定する道を開く手助けとなった。あらゆる形の支配や抑圧からの解放を最重要のスピリチュアルな探究であるとするとき、わたしたちは再び、スピリチュアルな実践を正義と解放に向けた闘いと結びつけるようなスピリチュアリティにたどりつく。それゆえ、スピリチュアルな充足についてのフェミニズム的なヴィジョンこそ、真にスピリチュアルな生活の土台となるのである。

訳注
＊1　創造的なスピリチュアリティ（Creation Spirituality）は、宗教家マシュー・フォックスが始めたオルタナティブなキリスト教運動。「原罪」の代わりに森羅万象のすべてを「原祝福」として尊ぶとともに、西洋的なスピリチュアリティとその他の文化の知恵との結合や、宇宙と自然についての現代の科学的理解との結合などをかかげている。
＊2　*Original Blessing*, Matthew Fox, 1983.
＊3　解放神学とは、十六世紀に端を発し、一九五〇年代から六〇年代後半にかけてラテン・アメリカで発展した現代キリスト教の思潮であり運動。貧困が蔓延し、人々の社会的・政治的な解放が急務となるなかで、神学と社会的・政治的な関わりとを結合させようとした。

19 未来を開くフェミニズム

真に未来に向かって開かれているためには、具体的な現実に根ざした想像力を持たなくてはならないと同時に、そうした現実を超える可能性を心に思い描くことが必要だ。フェミニズム運動の最大の強みは、運動がその形態や方向を柔軟に変えてきたことにある。時代遅れの考えや行動にしがみついている社会運動は、失敗することが多い。洞察力にあふれ未来に向かって開かれたフェミニズムの始まりは、一九六〇年代の初めにまでさかのぼる。女性解放運動がやっと始まったころ、心あるフェミニストはすでにいて、ラディカルで革命的な政治運動を夢見ていた。その目標は、改良をめざす局面では、現存する白人至上主義的で資本主義的な家父長制のシステムのなかで女性の市民権を要求し、同時に、そうしたシステムそのものを揺るがし変革するために闘う、というものだ。その夢は、支配の文化に代えて、相互主義と社会民主主義にもとづく参加型経済の世界を創ることであり、人種やジェンダーによる差別のない、互いに認め合い助け合うことが最重要の倫理であるような世界を創ること、そして、地球が生存し続け、そこに生きるすべての人が平和と幸福を手にできるための、地球規模でのエコロジカルな理想にあふれた世界を創ることである。

ラディカルで革命的なフェミニストのヴィジョンは、フェミニズム運動が発展するにつれて、よりはっきりと多岐にわたるものになっていった。だが、変化を現存する社会秩序の枠内に止めておこうとする改良主義のフェミニストが運動を牛耳った結果、こうした進歩的なヴィジョンは片隅に追いやられることが多かった。改良主義のフェミニストのなかには、特権階級の男性との平等を獲得すべく、ジェンダーにもとづく経済的格差をなくすことだけに熱意を注ぐ者もいたが、その多くは、女性たちのエネルギーを改革の方向に集中させることで、女性たちの生活に関わる具体的な変化をもたらせると考えていただけだった。しかし、運動は結局、フェミニズムのラディカルな心臓部を捨て去り、それによって、社会の中心をなす資本主義的な家父長制に取り込まれる余地を強めてしまった。

現存する社会秩序のなかでの進出をなしとげるやいなや、女性たちの多くは、階級的な権力や上昇志向に心を奪われ、システムそのものを突き崩すことに関心をもつ女性はほんの少数になってしまった。そのころ、キャロル・ギリガン[*1]のような思想家をはじめとするフェミニストたちは、女性は男性より思いやりが深く倫理的なのだと繰り返し言っていたが、女性たちが自分より力のない女性にたいしてどう振る舞ったかの現実を見れば、そんなことはないとわかる。自分が属していると思う民族的、人種的な集団のなかで女性たちが見せる思いやりの精神は、共感や一体感や連帯感を感じない人たちにまで拡大されることはない。特権をもった女性たち（そのほとんどは白人だが、白人だけとは限らない）はまたたく間に、自分たちの利益のために、労働者階級の女性や貧しい女性をこれまでのように下に置こうと決めたのだった。

未来を開くフェミニズムの基本的な目的は、すべての女性の運命を変える戦略や運動を創ると同時に、女性が個々にもつ力を強めることである。だがそのためには、運動は平等の権利の要求に止まってはならない。たとえば識字運動のように、すべての女性のためではあるが、とりわけ貧しい女性たちを助けるような基礎的な課題から始める必要があるだろう。わたしたちにはまだ、フェミニストによる学校もなければ、大学もない。そういう組織を創ろうという運動も、まだない。高学歴の白人女性たちは、女性の職場進出やキャリアアップのためのアファーマティブ・アクションの主たる受益者として、現在の社会システムのなかで利益を手にしておきながら、フェミニズムの理念にもとづいた教育機関を創る運動にはあまり興味を示さなかった。そうした運動や組織は高い給料を払うことができないからだ。自立した裕福なフェミニストでさえ、自分のお金を、基本的な技能の習得が困難な女性や少女たちとともにつくってゆくような教育プログラムのために投資していない。

未来を開くフェミニズムの思想家たちは、階級を超えて、すべての少女や少年、女性や男性の必要に応える大衆的なフェミニズム運動が必要なことは理解している。だが、自分たちの理論を、そういう人々に届く言葉で書いたり、音声を通じて伝えたりすることはできていない。現在、大学など学者の世界でもっとも評判になるフェミニズム理論は、インテリだけが読むことのできる難しい専門用語で書かれている。わたしたちの社会のほとんどの人は、基本的にフェミニズムについて知らない。そうした理解を、豊富で多様な教材や小学生レベルでも読めるような入門書から手にする、といったことがないのだ。というのも、そういう本や教材が存在しないからである。もしわたしたちが、正真正銘みんなのものであるようなフェミニズム運動を再建しようと思うなら、そういうものを創らなくてはならない。

フェミニズムの支持者たちは、未だに、専用のテレビ局を作ったり既存のテレビで繰り返しスポットを流すだけの資金を組織していない。テレビやラジオにフェミニズムのニュースアワーもない。フェミニズムのメッセージを広げようとするときに直面する困難のひとつは、女性やジェンダーに関わるものは何でも、たとえそれがフェミニズムの視点を持っていない場合でも、フェミニズムを伝えているのだと見なされることである。ラジオにも、また少数ではあるがテレビにも、ジェンダーの問題をとりあげた番組がたしかにある。だが、それはフェミニズムをとりあげていることと同じではないのだ。フェミニズム運動がなしとげた成果のひとつは、だれもがジェンダーや女性の問題をより公然と議論するようになったことだろう。だが皮肉なのは、ここでもまた、問題は必ずしもフェミニズムの視点から語られるわけではないということだ。たとえば、フェミニズム運動が起こした文化の革命によって、男性による女性や子どもへの暴力の問題を社会が直視するようになったことを例にとろう。

DVの問題はあっちでもこっちでもマスメディアにとりあげられ、そこここで議論になっているというのに、男性の暴力を、男性支配をなくすことや家父長制を根絶することと結びつける論議はほとんどない。この国の市民のほとんどは、男性支配と男性の家庭での暴力とのあいだの関連についてわかっていない。そういうことを理解しないまま、国中が、あらゆる階級の若い男性が家族や友人や学校の同級生を暴力的に殺害していることへの答えを探しているのだ。マスメディアでは、みんなが、家父長主義的な考えとの関連をぬきに、どうしてこんな暴力が起こるのかと質問を発している。

批判的な意識をもつための大衆的なフェミニズム教育が必要である。残念なことに、これまでフェミニズムの方向性を決めてきたのは、階級的なエリート主義だった。ほとんどのフェミニズムの思想家や理論家は、大学というエリート的な場でその仕事を行ってきた。わたしたちはほとんど、子どものための本を書いてもいなければ、小学校で教えてもいないし、公立学校で教えられる内容に建設的な影響を与えるための強力なロビー活動を行ってもいない。わたしが子どもの本を書きはじめたのは、まさに、みんなに届くフェミニズムを創る運動の一翼を担いたいと思ったからだった。本の録音テープをつくれば、読み書きのできないあらゆる年代の人にもメッセージが拡がるだろう。

フェミニズム運動を再生させ、フェミニズムとは必然的にラディカルなものだという基本的な前提に立って再出発するためには、フェミニズムのメッセージを直接届けるような集団的な努力が必要である。わたしたちの社会では、ラディカルなものはマイナーなところに追いやられがちだが、であればこそ、フェミニズムを陽の当たる場所にもちだしそのメッセージを拡めるために可能なありとあらゆることを、わたしたちはすべきだろう。フェミニズムとは、性差別をなくし性差別的な支配や抑圧をなくす運動であり、そこには、ジェンダーによる差別をなくして平等を創りだすことが含まれる。ということは、それは本質的にラディカルな運動なのだ。

フェミニズムとは本来ラディカルなものなのだ、ということについて混乱が起こったのは、フェミニズムの活動家たちが、あらゆる性差別的な現実に異議を申し立てることをやめ、改良ばかりをめざすようになったからである。地位と階級的特権を追い求める保守的または自由主義的な政治主張を持った女性たちは、「フェミニズムにもいろいろある」という考えを推し進めることで利益を得た。最初に「パワー・フェミニズム」なる言葉を使ったのも、そうした女性たちだった。保守的で自由主義的な政治主張を持った女性たちはまた、フェミニストであると同時に「反中絶派」であることができる、などと言いだした集団でもあった。これもまったくのまちがいである。女性が自分のからだを管理する権利を持つことは、フェミニズムの基本的な原則である。そして、女性が個人として中絶を選ぶかどうかは完全に選択の問題である。中絶しないことを選ぶのは、反フェミニズムでも何でもない。だが、フェミニズムの原則を守ろうとするなら、女性の選ぶ権利を認めるべきなのだ。

階級的特権に寄生して富と権力を追い求めたとき、女性たちは、貧しい女性や労働者階級の女性たちの利害を裏切ることになった。かつてはフェミニズムの考えを支持した女性が、今では、福祉切り捨ての公共政策を支持している。しかも、そういう立場に何の矛盾も感じていない。そういう女性たちは、フェミニズムに自分名義のブランドをつけているのだ。フェミニズムが単なるライフスタイルや商品であるかのように語られることは、それだけで、フェミニズムの政治的な重要性を覆い隠してしまう。今日では多くの女性たちが、権利は欲しいがフェミニズムはいらないと言っている。そういう女性たちは、公的な場での平等は望んでも、私的な場では家父長主義的なシステムのままでいいと思っている。だが、心あるフェミニストにとって、最初からわかっていたのは、家父長主義との共謀は、たとえそれがフェミニズム運動のある面（たとえば、女性が働くことの要求）にたいする家父長主義の支持と手を結ぶことであっても、女性を攻撃にさらされやすくする、ということである。そうした権利が獲得されたとしても、もしわたしたちの生活を形づくっているシステムが基本的に変わらなければ、そうした権利は簡単に奪われてしまう。そういうことが起こるのを、わたしたちは性と生殖に関する権利の領域、とりわけ中絶の権利をめぐって、近頃目の当たりにしているのである。家父長制の枠内で権利が与えられることは危険をはらんでいる。というのは、女性たちはそれによって、現実を過大評価し、支配の構造が変わりつつあるのだと思ってしまいがちだからだ。実際には、多くの女性たちがフェミニズムから去っていくにつれ、こうした支配の構造は再強化されている。

　過激な反フェミニズムの反動もまた、フェミニズム運動を掘り崩してきた。反動の主要なものは、時流に乗った保守的な女性たちによるフェミニズム叩きとフェミニズムけなしである。たとえば、ダニエル・クリッテンドンの最近の本『母たちがわたしたちに言わなかったこと――現代女性はなぜ不幸か』[*2]は、女性たちに、健康な子どもをつくりたいならみんな家にいて母親業に専念すべきだとか、男性と女性の心理は根本的に違うことを知るべきだなどと言っている。なかでも反動的なのは、悪いのはフェミニズムだと言っていることだ。フェミニズムを批判する評論家たちは、現代女性が直面しているすべての問題をフェミニズムのせいにしている。こうした人たちは、けっして家父長制や男性支配について語らないし、人種差別や階級的搾取について語らない。こうした反フェミニズム的な本は、多くの読者にアピールするわかりやすい言葉で書かれている。問題なのは、こうした反動的なメッセージに対抗するような、だれにでもわかるフェミニズム理論の本が見当たらないことである。

　ラディカルなフェミニストたち、とりわけ中年の、年齢でいうと三十五歳から六十五歳くらいまでの女性たちと話していると、フェミニズムが与えたよい影響についてのすばらしい証言を耳にすることがある。こうした成果を記録に残すことはとても大切だ。そうすれば、フェミニズムはただ女性の生活を前よりも困難にしただけだ、などという世間に流布している考えを、現実の証言で覆すことができる。実際には、女性たちの人生をずっと複雑なものにしているのは、女性たちがフェミニズム的な考えをもちそれを実践しながら、基本的に相変わらず家父長主義的な考え方や行動のなかに身を置いていることなのである。

未来を開くフェミニズムは、男性を変える必要性についてもつねに理解してきた。もし世界中の女性がフェミニストになる可能性があるとして、でも男性が性差別的でありつづけるなら、わたしたちの人生はやはり半減してしまう。それでは、ジェンダー間の戦争はなおも当然視されつづけるからだ。男性を闘いの同志として認めようとしないフェミニストたち——男性がフェミニズムから何らかの利益を得たら、女性はその分利益を失うという非合理的な不安を抱いている女性たち——は、悪いことに、フェミニズムを疑いと蔑みの目で見る世間に手を貸しているのだ。そして、男性敵視の女性たちは往々にしてフェミニズムを、進歩的な運動というより男性とのあいだの問題を解決するものだと見なしている。男性がフェミニズムの旗をかかげて家父長主義に異議を申し立てることは決定的に重要なのだ。この地球上でずっと安全に生きていくためには、男性がフェミニズムの支持者に変わることが必要である。

フェミニズム運動は、あらゆる年齢の女性や男性が、性差別をなくすために努力しさえすれば前進する。そのためには、必ずしも組織に参加する必要はない。どこでも、自分のいる場所で、フェミニズムのために努力することができる。たとえば自分が今住んでいる家で、フェミニズムの仕事を始めることができる。フェミニズムについて勉強したり、愛する家族を教育したりすればいい。これまでのフェミニズム運動は、個々の女性や男性に、どう変わればいいかという未来像を十分提供してはこなかった。フェミニズムの政治信条はその目的や方向性についての固い信念の上に築かれているが、フェミニズム的な変化に向けた方法や道すじは多様であっていい。

フェミニズムに至る道はひとつではない。さまざまに異なった生活体験をもつ人々にたいして、個々の人生に直接語りかけるようなフェミニズム理論が必要だ。わたしが、黒人のフェミニズム思想家として重要だと思うのは、黒人の生活のなかでの性役割について批判的に見直し、人々に直接届くような特有の問題や闘いの方法を見つけることである。そうすれば、フェミニズムの闘いとわたしたちの生活がどのように関連しているのか、黒人の人たちが理解できるようになると思うからである。

未来を開くラディカルなフェミニズムは、わたしたちみんなに、ジェンダーと人種と階級の立場から勇気をもって生活を見直すことを奨励する。そうすれば、帝国主義的で白人至上主義的で資本主義的な家父長制のなかで、自分がどのような位置にいるかはっきりわかるだろう。長いあいだ、多くのフェミニストたちは、ジェンダーのみが自分の位置を決める要素だというまちがった思い込みにしがみついていた。他の要素を否定する、こうした態度を克服して前進したことは、フェミニズムの決定的な転換点だった。それによって女性たちは、女性運動がつくられるにあたって人種や階級をめぐる偏見が存在し、それゆえに運動が広く大衆の支持を集めるものにならなかったのを直視することができたのである。

わたしたちは今こそ、フェミニズムの再生へ乗り出すことができる。反フェミニズム的な反動が存在するのは、家父長主義が女性と男性の幸福を脅かしていることを示すのに、フェミニズムが成功したからである。もしフェミニズムが、性差別や男性支配がつづくことの危険性を真に提起していなかったら、運動は失敗していただろうし、そうすれば、反フェミニズム・キャンペーンの必要もなかったはずだ。家父長主義的なマスメディアは今も、女性学の教室では男性は歓迎されないという嘘を流しつづけているが、本当のところ、フェミニズムについて学び、フェミニズムを支持する男性はずっと増えている。フェミニズム運動におけるこうした重要な変化が、家父長主義をいっそう脅かしているのだ。すでに述べたように、運動が女性だけを問題にしていたら、家父長主義的な現実は変わらなかっただろうし、激しいフェミニズム叩きの必要もなかったはずなのだ。

家父長主義的なマスメディアや性差別的な社会のリーダーたちが、フェミニズム運動はもう終わった、フェミニズムにはもう存在意義がない、と繰り返し言うのを、わたしたちは耳にタコができるほど聞かされている。実際には、あらゆる年齢の女性と男性が、あらゆるところでジェンダーの不平等を問題にしつづけ、自分たちを縛って不自由にするのでなくもっと自由にするような役割を、探しつづけている。そして、その答えを求めて、今なおフェミニズムに近づいてくるのだ。未来を開くフェミニズムが提供するのは、未来への希望である。相互の思いやりと助け合いの倫理を強調することによって、フェミニズムは、不平等の結果もたらされた現実を変え、支配をなくす方法をわたしたちに教えてくれる。相互の思いやりが当然であるような世界でも、すべての人が平等でないときもあるだろう。だがそこでは、そうした不平等の結果が、従属や植民地化や非人間化につながることはない。

性差別や性差別的な搾取と抑圧をなくす運動としてのフェミニズムは、元気に生きている。今は大衆的な運動があるわけではないが、そうした運動の再生はわたしたちの主要な目的だ。フェミニズムがわたしたちの生活と深く関係していることをこれからも明らかにするために、未来を開くフェミニズム理論は今後も創られ、手直しされて、今ここに生きているわたしたちに届くだろう。女たちと男たちは、ジェンダー的な平等の方向に大きく前進してきた。成し遂げられた自由への歩みは、わたしたちに、未来へ進む力を与えてくれるはずだ。わたしたちは勇気をもって過去から学び、フェミニズムの原則がわたしたちの公的な生活にも私的な生活にもすみずみにまで行き渡っている未来のために、努力しなくてはならない。フェミニズムがめざすのは、支配をなくし、自由にあるがままの自分になること――正義を愛し、平和な人生を生きられるように、わたしたちを解き放つことである。だからこそ、フェミニズムはみんなのものなのだ。

訳注
＊1 Carol Gilligan（1936～） アメリカの心理学者、倫理学者。*In a Different Voice*, 1982（邦題『も

うひとつの声』生田久美子・並木美智子訳、川島書店、一九八六年）で、男性と女性では道徳的発展のしかたが違うと主張した。

＊2　*What Our Mothers Didn't Tell Us: Why Happiness Eludes the Modern Woman*, Danielle Crittenden, 1999.

新版訳者あとがき――『フェミニズムはみんなのもの』復刊によせて

本書『フェミニズムはみんなのもの』は、二十世紀の終わりに書かれた。そのころ、一九六〇年代に始まり三十年余りにわたって、いわば全世界を席巻したフェミニズム運動は、大きなうねりを残して終わろうと（もちろん、フェミニズムの旗をかかげてまだがんばっている女性たちもいたが）していた。女性たちはたしかに一定の権利を手にしたものの、性差別がなくなったわけでも問題が解決したわけでもなかったが、巷には「もう性差別なんてない」といった声があがりはじめていた。著者であるベル・フックスが、フェミニズム運動の再生を信じて、本書『フェミニズムはみんなのもの』を書いたのは、ちょうどそんなときだった。

それからおよそ二十年後のある日、訳者であるわたしのもとに、「絶版となっている『フェミニズムはみんなのもの』を復刊したい」という申し出があった。フェミニズム専門の出版社、エトセトラブックスを立ち上げたひとりの女性からだった。若い世代による新しいフェミニズムの始まりを実感しながら、彼女の『フェミニズムはみんなのもの』はなくしてはいけない本です」という言葉に、あらためて本書を読みなおして、わたしは気づいた――この本は、いま新しくフェミニズムに近づこうとしている若い世代に、「第二波フェミニズム」から手渡されるバトンなのだ、と。

ここで、「第二波フェミニズム」と、著者のベル・フックスについて説明しておこう。

一九六〇年代、アメリカ合州国では、公民権運動、ベトナム反戦運動、大学闘争などの政治運動が激しく展開された。そうした運動に参加した女性たちが、進歩的運動内部の性差別を告発して怒りの声をあげたところから、やがてフェミニズムと呼ばれる思想と運動が始まった。時を同じくして、大学を卒業しても職に就けず専業主婦として家にいた中産階級の女性たちや、職場で賃金や昇格の差別を受けている女性労働者も声をあげ、ここに、のちに「第二波フェミニズム」と呼ばれる（ベル・フックスは「第二波フェミニズム」と言う代わりに、「現代フェミニズム運動」と呼んでいる）女性たちの運動が燎原の火のように燃えあがった。

著者のベル・フックスは、一九五二年にアメリカ合州国の南部ケンタッキーに生まれ、伝統的な黒人文化と自由な批判精神をあわせもった少女として育ち、やがて進んだスタンフォード大学で、一九七〇年代初め、「最盛期」のフェミニズム運動に出会う。それは、「フェミニズムの思想と政治と実践が人生を変えた瞬間」だった。しかし同時に、白人中産階級女性を中心とした運動にはらまれた人種差別や階級的エリート主義に気づき、一九八一年には最初の著書『私は女じゃないの？——黒人女性とフェミニズム』を、一九八四年には『フェミニズム理論——周縁から中心へ』を出版した。

おりしも、一九八〇年代半ば、アメリカのフェミニズムは決定的な転換点を迎えていた。女性たちは、フェミニズム運動によって一定の権利を獲得し、職場などにも進出、また大学では女性学も始まった。しかしその一方で、大衆的な運動は下火となり、内部の意見対立も激化、また女性運動の成果に対するバックラッシュ（反動）も登場してくる。

ベル・フックスら黒人や有色の女性たちが、主流のフェミニズムを批判して立ち上がったのはちょうどそんなときだった。その批判点がどこにあるのか、またそれがフェミニズムをどう変えたかは、本書に詳しく述べられている。ひと言でいうなら、それは、女性のあいだにある、人種や民族、階級、セクシュアリティ、身体的条件など、さまざまな違いを無視するのでなく、それをふまえながら「シスター」として連帯してゆく道をひらいた。それはまた、フェミニズムが、一部の特権的な女性だけでなくあらゆる女性たち、さらには心ある男性たちのものとなる可能性を示すものでもあった。

やがて、一九九〇年代になると、フェミニズムの中心は、運動から大学などアカデミックな領域に移ってゆく。ポストモダン理論の流行ともあいまって、「専門家にしかわからない難しい用語を駆使したメタ言語学的な」フェミニズム理論が幅をきかせるようになり、ラディカルで活動的な女性たちはフェミニズムから去っていった。フェミニズムのおかげで権力にアクセスできるようになった一部の特権的な女性たちの「パワー・フェミニズム」の掛け声がひびく一方で、大多数の女性たちは貧しさと困難に直面していた。

こうした状況に異議をとなえ、フェミニズム運動の必要性を訴えるために、ベル・フックスは本書『フェミニズムはみんなのもの』を書いた。フェミニズムについて、抽象的・理論的に語るのではなく、実際に問題にした広範なテーマを、各章ごとに、運動の具体的な展開に即した簡潔で平易な言葉で説明している。よかった点だけでなく、運動のあやまちや問題点も率直に語っている。そこからは、運動がもっていた大胆さや情熱、エネルギーや勇気、そして痛みや涙さえ伝わってくる。本書はまさに、「第二波フェミニズム」の「初めから終わりまで」を見届けたフェミニストによる、もっともラディカルな視点からする記録であり、教訓、提言、問題提起なのだ。


いま、この本を手にする女性たち、男性たちはきっと、少し前のフェミニズム運動についてよく知らないだろう。「男嫌いのこわいおばさんたちの運動」と聞かされていたかもしれない。それでも最近耳にすることがあって、フェミニズムって何なのだろうと、思い始めた人もいると思う。そういう人たちにとって、本書はかっこうの教科書、入門書となるだろう。

若い世代は、少し前の女性たちが何に怒り、傷つき、励まされたかを知るに違いない。そして気づくだろう、それが、いまを生きる自分たちと驚くほど似ていることに。

この本のなかでベル・フックスが批判している、家父長主義的で白人至上主義的な資本主義は、いまなお力を持っている。むしろ、より巧妙になり、もっと強欲で搾取的にさえなっている。それでも、ジェンダー的な自由と平等への歩みもまた進んできた。そうしたなかで、これからのフェミニズムを考えるとき、本書では「ヒント」として示されている新たな課題や展開を、具体的な思想と実践としてすすめてゆく必要があると思う。

そのなかには、このかん圧倒的にすすんできたもののさまざまな矛盾をはらんでいる女性の「職場進出」「社会進出」を真にフェミニズム的な進歩にするための闘いや、世界中のあらゆる女性や男性などの生存にかかわる地球環境問題、またセクシュアルマイノリティの権利を要求することなどが含まれるだろう。

立ち上がりつつある若い女性や男性はきっと、いまを生きる世代らしいたおやかな感性で、新しい情熱と勇気の野へその歩をすすめてゆくにちがいない。本書の最後で、ベル・フックスは、まるで、あれから二十年後のいまこの本を開く若い世代に呼びかけるように、こう書いている。

「わたしたちは勇気をもって過去から学び、フェミニズムの原則がわたしたちの公的な生活にも私的な生活にもすみずみにまで行き渡っている未来のために、努力しなくてはならない。フェミニズムがめざすのは、支配をなくし、自由にあるがままの自分になること──正義を愛し、平和な人生を生きられるように、わたしたちを解き放つことである。」

そして、言う。

「だからこそ、フェミニズムはみんなのものなのだ」と。

最後に、本書『フェミニズムはみんなのもの』を二〇〇三年に出版し、他にも数多くのフェミニズム関係の出版に尽力、一昨年急逝された新水社の村上克江さんのご冥福をお祈りします。村上さん、あなたの志は、エトセトラブックスの松尾亜紀子さんに受け継がれましたよ。

二〇二〇年五月

本書は、二〇〇三年、新水社より単行本として刊行されたものです。
復刊にあたって加筆修正しました。

ベル・フックス　bell hooks

フェミニズム理論家、作家、文化批評家。1952年、米ケンタッキー州生まれ。自身の言葉によれば「伝統的な南部の家父長主義的な労働者階級家庭」で育ち、人種隔離政策が廃止されるなか、人種差別や性差別への抵抗を強める。スタンフォード大学卒業後、ウィスコンシン大学で修士号を（修士論文のテーマは作家トニ・モリスン）、1983年にカリフォルニア大学サンタクルーズ校で博士号を取得する。教壇に立つ傍ら、1981年『わたしは女じゃないの？――黒人女性とフェミニズム』でデビュー。1984年には『フェミニズム理論――周縁から中心へ』を刊行し、この2作で「白人中産階級女性の問題」のみをとりあげてきた主流フェミニズムを痛烈に批判、その後のフェミニズムの展開に大きな影響を与えた。その後もジェンダー、人種、階級の視点から現代社会や文化について多数の執筆や講演を行う。2000年、フェミニズムの現状に危機感を抱いたことから執筆した本書は、世界的なロングセラーとなる。本名グロリア・ワトキンス。母方の曾祖母の名前に由来するペンネーム bell hooksはつねに小文字で表記され、アイデンティティへの誇りと「周縁者」としてのこだわりが示されている。2014年、ケンタッキー州のベレアカレッジにベル・フックス研究所を設立。2021年永眠。

堀田碧　ほった・みどり

1950年、東京生まれ。ケント大学女性学修士課程修了。著作に『経済のグローバリゼーションとジェンダー』（共著、明石書店、2000年）。訳書に、ベル・フックス『とびこえよ、その囲いを』（共訳、新水社、2006年）、C・T・モーハンティー『境界なきフェミニズム』（監訳、法政大学出版局、2012年）など。現在、長野県在住。

bell hooks :
FEMINISM IS FOR EVERYBODY, 2nd edition
Copyright© 2000 by Gloria Watkins
All Rights Reserved
Authorised translation from the English language edition published by Routledge,
a member of the Taylor & Francis Group LLC through The English Agency (Japan) Ltd.

フェミニズムはみんなのもの　情熱の政治学
2020年8月14日　初版発行
2024年10月7日　6刷発行

著　者　ベル・フックス
訳　者　堀田碧

発行者　松尾亜紀子
発行所　株式会社エトセトラブックス
155-0033　東京都世田谷区代田4-10-18-1F
TEL: 03-6300-0884　FAX: 050-5370-0466
https://etcbooks.co.jp/

装幀　福岡南央子
DTP　株式会社キャップス
校正　株式会社円水社
印刷・製本　モリモト印刷株式会社

Printed in Japan
ISBN 978-4-909910-08-0
本書の無断転載・複写・複製を禁じます。